主編◎錢超塵
副主編◎王育林　劉陽

元古林書堂本《靈樞》
仁和寺本《黃帝內經明堂》

《黃帝內經》版本通鑒
第一輯

北京科學技術出版社

圖書在版編目（CIP）數據

元古林書堂本《靈樞》 仁和寺本《黄帝内經明堂》 / 錢超塵主編. —北京：北京科學技術出版社，2019.3
（《黄帝内經》版本通鑒. 第一輯）
ISBN 978 – 7 – 5714 – 0095 – 8

Ⅰ. ①元… Ⅱ. ①錢… Ⅲ. ①《靈樞經》②《内經》 Ⅳ. ①R221

中國版本圖書館 CIP 數據核字（2019）第018322號

元古林書堂本《靈樞》 仁和寺本《黄帝内經明堂》（《黄帝内經》版本通鑒・第一輯）

主　　編：錢超塵
策劃編輯：侍　偉　吴　丹
責任編輯：吕　艷　周　珊
責任印製：李　茗
責任校對：賈　榮
出 版 人：曾慶宇
出版發行：北京科學技術出版社
社　　址：北京西直門南大街16號
郵政編碼：100035
電話傳真：0086-10-66135495（總編室）
0086-10-66113227（發行部）　0086-10-66161952（發行部傳真）
電子信箱：bjkj@bjkjpress.com
網　　址：www.bkydw.cn
經　　銷：新華書店
印　　刷：北京虎彩文化傳播有限公司
開　　本：787mm × 1092mm　1/16
字　　數：294千字
印　　張：24.5
版　　次：2019年3月第1版
印　　次：2019年3月第1次印刷
ISBN 978 – 7 – 5714 – 0095 – 8/R・2582

定　　價：**590.00元**

《黄帝内經》版本通鑒·第一輯》編纂委員會

主　編　錢超塵
副主編　王育林　劉　陽

前言

中醫是超越時代、跨越國度、具有永恒魅力的中華民族文化瑰寶，是富有當代價值、保護人體健康的生命科學，它將伴隨中華民族而永生。中醫學核心經典《黄帝内經》，包括《素問》和《靈樞》，奠定中醫理論基礎，指導作用歷久彌新，是臨床家登堂入室的津梁，理論家取之不盡的寶藏，是研究中國傳統文化必讀之書。

讀書貴得善本。章太炎先生鍼對中醫讀書不注重善本的問題，指出：『近世治經籍者，皆以得真本爲亟，獨醫家爲藝事，學者往往不尋古始。』認爲這是不好的讀書習慣；又説：『信乎，稽古之士，宜得善本而讀之也！』閲讀《黄帝内經》，必須對它的成書源流、歷史沿革、當代版本存佚狀況有明確的認識，纔能選擇佳善版本，獲取真知。

《黄帝内經》某些篇段出於战國時期，至西漢整理成文，《漢書・藝文志》載有『《黄帝内經》十八卷』。西晋皇甫謐《鍼灸甲乙經》類編其書，序云：『《黄帝内經》十八卷，今《鍼經》九卷，《素問》九卷，即《内經》也。』説明《黄帝内經》一直分爲兩種相對獨立的書籍流傳，一種名《素問》，一種名《鍼經》。《鍼經》即《靈樞》的初名，在流傳過程中也稱《九卷》《九靈》《九墟》，東漢末張仲景、魏太醫令王叔和均引用過《九卷》之名。

《素問》的版本傳承相對明晰。南朝梁全元起作《素問訓解》存亡繼絶，唐初楊上善類編《太素》取之。唐中期乾元三年（七六〇）朝廷詔令《素問》作爲中醫考試教材。唐中期王冰以全元起本爲底本作注，收入『七篇大論』，改爲二十四卷八十一篇，爲《素問》的流行奠定基礎。北宋天聖五年（一〇二七）、景祐二年（一〇三五）兩次以全元起本爲底本雕版刊行。北宋嘉祐年間（一〇五六—一〇六三）校正醫書局林億、孫奇等以王冰注本爲底本，增校勘、訓詁、釋音，仍以二十四卷八十一篇刊行。此後《素問》單行本均以北宋嘉祐本爲原本，歷南宋（金）、元、明、清至今，形成多個版本系統。二十四卷本，以金刻本（存十三卷）、元讀書堂本、明顧從德覆宋本、明無名氏覆宋本、明周曰校本、明《醫統正脉》本爲代表；十二卷本，以元古林書堂本、明熊宗立本、明趙府居敬堂本、明吴悌本爲代表；五十卷本，即道藏本；此外還有明清注家九卷本、日本刻九卷本等。南宋、北宋及更早之本俱已不存。

《靈樞》在魏晋以後至北宋初期的傳承情况，因史料有缺而相對隱晦。唐初楊上善類編《太素》收入《九卷》。唐中期王冰注《素問》引文，始有『靈樞經』之稱。因存本不全，北宋校正醫書局未校《靈樞》。遲至元祐七年（一〇九二），高麗進獻《黄帝鍼經》，始獲全帙，於元祐八年（一〇九三）正月由北宋政府頒行。此後《靈樞》再次沉寂，至南宋紹興乙亥（一一五五），史崧刊出家藏《靈樞》，將原本九卷校正並增修音釋，勒成二十四卷。此本成爲此後所有傳本的祖本，流傳至今形成多個版本系統。其中二十四卷本，以明無名氏仿宋本、明周曰校本爲代表；十二卷本，以元古林書堂本、明熊宗立本、明趙府居敬堂本、明田經本、明吴悌本、明吴勉學本爲代表；二十三卷本，即道藏本；此外還有明詹林所二卷本、道藏《靈樞略》一卷本、日本刻九卷本等。

《素問》《靈樞》各有單行本之外，《黄帝内經》尚有類編本。西晋皇甫謐《鍼灸甲乙經》，將《素問》《九卷》《明堂孔穴鍼灸治要》三書類編，但編輯時『删其浮辭，除其重複』，故與《素問》《靈樞》對勘，《鍼灸甲乙經》文句每不全足。唐代楊上善《黄帝内經太素》三十卷，將《九卷》《素問》全文收入，不加删掇，詳加注釋。《黄帝内經太素》的文獻價值巨大，但南宋之後却沉寂無聞，直到清光緒中葉，學者楊守敬在日本發現仁和寺存有仁和三年（八八七，相當於唐光啓三年）舊鈔卷子本，存二十三卷，遂影寫携歸，一時轟動醫林。嗣後日本國内相繼再發現佚文二卷有奇，至此《太素》現存二十五卷，堪稱《黄帝内經》版本史上的奇迹。

綜觀《黄帝内經》版本歷史，可謂一縷不絶，沉浮聚散；視其存亡現狀，又可謂同源異派，星分飄零。現存《黄帝内經》善本分散保存在國内外諸多藏書機構，此前囿於信息交流、印刷技術，從未有大規模集中最優秀版本出版的先例。當今電子信息技術發展日新月異，互聯網的普及使信息交流具有前所未有的廣泛性、時效性，乘此東風，《黄帝内經》現存的諸多優秀版本得以鳩聚刊印，爲中醫從業者及愛好者、傳統文化學者集中學習、研究提供便利。《〈黄帝内經〉版本通鑒》叢書，是首次對《黄帝内經》精善本的大規模集中解題、影印，目的是保存經典、傳承文明、繼往開來，爲振興中醫奠基，爲中華文化復興增添一份助力。

《〈黄帝内經〉版本通鑒·第一輯》，精選十二部經典版本，包含《素問》八部，《靈樞》二部，《黄帝内經太素》一部，《黄帝内經明堂》一部。列録如下。

①金刻本《素問》；②元古林書堂本《素問》；③元古林書堂本《靈樞》；④明熊宗立本《素問》；⑤明嘉靖無名氏覆宋刻本《素問》；⑥明嘉靖無名氏仿宋刻本《靈樞》；⑦明吴悌本《素問》；⑧明趙府居敬堂本《素問》；⑨明萬曆朝鮮内醫院活字本《素問》；⑩日本摹刻明顧從德本《素問》；⑪仁和寺本《黄帝内經太素》；⑫仁和寺本《黄帝内經明堂》。

這十二部經典版本，其特點如下。

(1)金刻本《素問》，是現存刊刻時代最早的版本，其年代相當於南宋時，版本價值極高。

(2)元古林書堂本《素問》《靈樞》各十二卷，刊刻時代僅次於金刻本，且所據底本爲孫奇家藏本，總體精善，此本已進入聯合國教科文組織《世界記憶亞太地區名録》。

(3)最新發現的『明嘉靖無名氏覆宋刻本《素問》』『明嘉靖無名氏仿宋刻本《靈樞》』各二十四卷合刊本，疑爲明嘉靖前期陸深所刻。此本《素問》各藏書機構多誤録作顧從德覆宋刻本，今考證得實，宇内尚存至少四部，擇品相優者影印推出，屬於史上首次。此本《靈樞》在一九九二年曾由日本經絡學會在版本不明的情况下影印出版，流傳稀少，今考證尚存世至少六部，兹擇品相佳者影印推出，在國内亦屬首次。

(4)《素問》《靈樞》合刊本兩種最具代表性：元古林書堂本是《素問》《靈樞》十二卷本之祖；明

嘉靖無名氏本是現存《靈樞》二十四卷本之祖，同刊《素問》是明周曰校本的底本。

（5）明代其餘四種《素問》均以元古林書堂本爲底本刊刻，而各有特色：熊宗立本爲明代最早，摹刻極工，添加句讀；吴悌本是罕見的去注解白文本；趙府居敬堂本品相上佳，是長期流傳廣泛的國内通行本之一；朝鮮内醫院活字本是現存最早《素問》活字本。

（6）日本摹刻明顧從德本《素問》屬『後出轉精』之作。此本爲日本安政三年（一八五六）由度會常珍所刻，所據底本爲澀江全善藏顧從德本，另據《黄帝内經太素》等校改誤字，澀江全善及森立之父子並參校讎。

（7）仁和寺本《黄帝内經太素》，屬類編《黄帝内經》最經典版本。原卷子抄寫時將楊上善撰注的《黄帝内經明堂類成》殘卷列首（因《黄帝内經太素》缺第一卷），今别析分刊。

本套叢書内的仁和寺本《黄帝内經太素》及《黄帝内經明堂》之底本由北京神黄科技股份有限公司總經理王和平先生免費提供，此義舉體現了王先生襄贊中華文化傳承事業的殷殷之念，在此謹致謝忱與敬意。

《〈黄帝内經〉版本通鑒》卷帙浩大，爲出版這套叢書，北京科學技術出版社章健總編、侍偉主任，以及編輯吴丹、吕艷、李兆弟等同仁以極高的使命感和責任心，付出了極大的心血和努力，克服了諸多困難，終成其功，謹此致以崇高敬意。相信這套叢書的推出，必不辜負同仁之望，在促進中醫藥事業發展、深化祖國傳統文化研究、增强國家文化軟實力等諸多方面做出應有的貢獻。

囿於執筆者眼界、學識，諸篇解題必有疏漏及訛誤之處，請方家、讀者不吝指正。

錢超塵

［説明：爲更準確地體現版本、訓詁學研究的學術内涵，撰寫時保留了部分異體字的使用，所選擇字樣如下：欬（欬嗽）、鍼（鍼灸）、並（並且）、併（合併）、嶽（山嶽）、異（異同）。］

目録

《黄帝内經》版本通鑒·第一輯

元古林書堂本《靈樞》

解題　錢超塵

解　題

今存《靈樞》最早版本爲元代古林書堂本，它對明代《靈樞》版本有重要影響，而明代《靈樞》版本爲清代《靈樞》諸翻刻本奠定基礎。考證《靈樞》版本當從元、明《靈樞》版本説起。

日本森立之《經籍訪古志補遺》關於元胡氏古林書堂本《靈樞》有如下考證文字：

《黄帝内經靈樞》十二卷，元至元己卯古林書堂本，聿修堂藏。

《素問》總目後有木記，曰：『是書乃醫家至切至要之文，惜乎舊本訛舛漏落，有誤學者。本堂今求元豐（北宋，一〇七八——一〇八五）孫校正家藏善本，重加訂正，分爲一十二卷，以便檢閲。衛生君子，幸垂藻鑒。』又目録後有木蓋子，題曰：『元本二十四卷，今併爲一十二卷刊行。』又末有木記，題『至元己卯菖節古林書堂新刊』。

《靈樞》首載史崧序，目録後題『元作二十四卷，今併爲十二卷，計八十一篇』。墨框題『至元己卯古林胡氏新刊』。第一卷末題『至元庚辰菖節古林書堂印行』。目録及卷二題云：『黄帝素問靈樞集注。』每注末附音釋。

按，《素》《靈》如明熊宗立本此依元槧重雕。更有《音釋補遺》一卷、《運氣圖括定局立成》一卷，末記『成化甲午年熊氏種德堂』。酌源堂藏、趙府居敬堂本附《素問遺篇》，不記刊行年月。紙板極精，似嘉靖間物。考《明史》趙簡王高燧永樂二年封，子孫承襲至萬曆中。聿修堂藏、吴悌本係白文，蓋嘉靖間本。聿修堂藏。懷仙閣亦藏此本。卷中有藍筆評點，物徂徠真迹也、《素問》如朝鮮活字本聿修堂藏、朝鮮整板寶素堂藏。又崇蘭館亦有之。末附《運氣論奥》。俱行款與活字本同、《靈樞》如吴勉學本《醫統正脉》所收、朝鮮活字本崇蘭館藏。板式與《素問》自别，皆併爲十二卷，蓋元板作之俑也。

又按，道藏本《靈樞》題云：『《黄帝素問靈樞集注》，蓋亦祖胡氏者。道藏字大帖狹，每部多析卷第，此亦析爲二十三卷，以此已。』

《〈黄帝内經〉版本通鑒・第一輯》所收胡氏古林書堂本《靈樞》底本得自北京圖書館，首葉有『北京圖書館藏』圖章，有『鐵琴銅劍樓』圖章。蓋北京圖書館之胡氏古林書堂本《靈樞》得自清鐵琴銅劍樓也。

胡氏古林書堂本《靈樞》有如下特點。

第一，總目録及卷二至卷十分篇標目皆題曰《黄帝素問靈樞集注》，卷一標目題曰《新刊黄帝内經靈樞卷第一》。所謂『集注』者，或設計之初擬增『集注』，而終未果。標目不一，是爲小疵。

第二，古林書堂本每葉十四行，每行二十四字，版框四周皆雙綫，外粗内細，總目録標題上端皆有花飾，增加花飾是元代刊書常規。

第三，《靈樞》古林書堂本總目録後刻有長條木印牌記『至元己卯（一三三九）古林胡氏新刊』十字，卷一末葉刻有長方木印牌記『至元庚辰（一三四〇）菖節／古林書堂印行』十二字。爲後人考證《靈樞》始刻與終刻提供了準確時間。

第四，胡氏古林書堂本《靈樞》第一次將二十四卷合併爲十二卷，卷首聲明曰：『元作二十四卷，今併爲十二卷，計八十一篇。』卷數合併，篇數依舊，影響深遠。明代許多《靈樞》刻本皆仿古林書堂本作十二卷，如熊宗立本、趙府居敬堂本、吴悌白文本、吴勉學本、朝鮮活字本皆爲十二卷。

第五，以胡氏古林書堂本《靈樞》爲底本翻刻者有明熊宗立本、趙府居敬堂本、吴悌本、吴勉學本等。元古林書堂本影響深遠。第六，《靈樞》元古林書堂本音釋附於每篇之末，無『音釋』二字提示，低一格以區别原文，明代諸刻本皆將音釋分篇附於卷末，增『釋音』二字提示之。前兩年有以明無名氏本爲底本校注之作，題名《黄帝内經靈樞》，收於《珍本中醫古籍精校叢書》，將無名氏本音釋全部移於卷末，題曰《附録 靈樞經音釋》，失當矣。附帶言之。

北宋校正醫書局於嘉祐年間（一〇五六—一〇六三）將《靈樞》列入校定計劃却未加校定。在其校定的《重廣補注黄帝内經素問·調經論》中透露出未加校定的原因，在『無中其大經，神氣乃平』句下新校正云：『《靈樞》今不全。』因爲《靈樞》在北宋時期已經有了殘缺，故未校定。

尋找完整的、没有缺失的《靈樞》，是北宋朝廷一直關注的事情。《高麗史》卷十載，高麗使節李資義出使北宋，宋仁宗曾向高麗使求書。『丙午，李資義等還自宋。奏云：帝聞我國書籍多好本，命館伴書所求書目録授之。乃曰：雖有卷第不足者，亦需傳寫附來。』

高麗宣宗大安八年（一〇九二）十一月高麗使節出使中國，進呈書目中有如下中醫書目：《古今録驗》五十卷，《張仲景方》十五卷，《黄帝鍼經》九卷，《九墟經》九卷，《小品方》十二卷，《陶隱居效驗方》六卷。

其中《黄帝鍼經》九卷、《九墟經》九卷，卷數相同。《九墟經》在我國已經亡佚。《九墟經》與《靈樞》是同一部書的兩個不同名稱，曾分别流行。《靈樞·經别》『或以諸陰之别皆爲正也』十字，《鍼灸甲乙經》卷二第一下林億等校注云：『《九墟》云：「或以諸陰之别皆爲正也。」』證明《靈樞》與《九墟經》是同一部書，僅是書名不同罷了。《黃帝鍼經》九卷與《九墟經》九卷曾同時流傳於高麗。

高麗此次進獻《黃帝鍼經》九卷，並要求購買中國書籍。下面引證史料説明之。

史料一，《宋史》卷十七。

元祐八年正月庚子（一〇九三年一月二十三日），『詔頒高麗所獻《黃帝鍼經》於天下。辛亥，禮部尚書蘇軾言，高麗使乞買歷代史及《册府元龜》等書，宜却其請。不許。省臣許之。軾又疏陳五害，極論其不可。有旨：書籍曾經買者聽。』

蘇軾不同意高麗以《黃帝鍼經》等書作爲購買《册府元龜》及歷代史的條件。爲此蘇軾寫有《論高麗買書利害札子三首》，見《蘇東坡全集·奏議集》卷十三。蘇軾説：『除可令（高麗）收買名件外，其《册府元龜》、歷代史本部未敢便令收買，伏乞朝廷詳酌指揮。』又云：『今來高麗使所欲買歷代史册、《册府元龜》及敕式，乞並不許收買。』哲宗批示：『看詳都省本爲《册府元龜》及《北史》，一概令買。』

史料二，北宋末年，江少虞，字虞仲，政和間（一一一一——一一一八）進士，著《宋朝事實類苑》，卷三十一《藏書之府》條云：

哲宗時（一〇八六——一一〇〇），臣寮言：『竊見高麗獻到書，内有《黃帝鍼經》九卷。據《素問序》稱，《漢書·藝文志》載《黃帝内經》十八卷。《素問》與此書各九卷，乃合本數。此書久經兵火，亡失幾盡，偶存於東夷。今此來獻，篇帙具存，不可不宣布海内，使學者誦習。伏望朝廷詳酌，下尚書工部，雕刻印板，送國子監依例摹印施行。所貴濟衆之功，溥及天下。』有旨：『令秘書省選奏通曉醫書者三兩員校對，及令本省詳定訖，依所申施行。』

史料三，南宋王應麟（一二二三——一二九六）《玉海》卷六十三。

元祐八年，高麗所獻書有《黄帝鍼經》。正月庚子，秘書監王欽臣請宣布，俾學者誦習。

史料四，《續資治通鑑長編》卷四百八十。

元祐八年正月，工部侍郎權秘書監王欽臣言：高麗獻到書内有《黄帝鍼經》，篇帙俱存，不可不宣布海内誦習，乞依例摹印。詔令校對訖，依所請。

史料五，《續資治通鑑》卷八十二。

元祐八年正月庚子，詔頒高麗所獻《黄帝鍼經》於天下。二月辛亥，高麗遣使買歷代史及《册府元龜》等書。禮部尚書蘇軾言宜却其請。省臣許之。軾又疏陳五害，極論其不可，且曰：漢東平王請諸子及《太史公書》，猶不肯予；今高麗所請，有甚於此，其可予乎？詔：書籍曾經買者聽。

詔書同意高麗購買這些書籍，駁回蘇軾上書。

北宋元祐八年正月宋哲宗詔令選擇兩三名文醫兼通之士校勘《黄帝鍼經》，不久刊行。此次校勘比較簡略，不像嘉祐年間校正醫書局校勘《素問》那樣詳盡仔細。

史崧，南宋初人，他在《靈樞序》中説：『恨《靈樞》不傳久矣……參對諸書，再行校正，家藏舊本《靈樞》九卷，共八十一篇，增修音釋，附於卷末，勒爲二十四卷。』此爲『史崧本』。此序寫於南宋紹興乙亥（一一五五），可見《靈樞》史崧本於一一五五年刊行。

史崧本爲《靈樞》之流傳奠定基礎。此書久已不存，元明據史崧本翻刻者主要有以下四種版式。

（1）二十四卷本。

（2）十二卷本。

（3）一卷本和二十三卷本。均收入《道藏》中，故稱一卷本和二十三卷本爲『道藏本』。

（4）二卷本。

下面分别説明。

（1）《靈樞》二十四卷本，主要有以下兩個版本。

1）明代無名氏本。全稱《新刊黄帝内經靈樞》，二十四卷，八十一篇，無刊行年月。日本森立之（一八〇七—一八八五）《經籍訪古志補遺》云：『《新刊黄帝内經靈樞》二十四卷（明代無名氏仿宋本），每卷末附釋音，不記刊行年月。每半板高六寸九分，幅五寸强，十行，行二十字。按，此原與《素問》合刊。檢其板式，亦覆刻宋本者。然諱字無缺筆，殆南渡以後物乎？今行《靈樞》，唯此爲最善。』因爲無翻刻者姓名，所以稱爲『無名氏本』。森立之精研中醫古籍版本之學，他認爲明代無名氏本是據南宋《靈樞》翻刻，筆者認爲此説可從。日本内閣文庫藏有寬文三年（一六六三）重刻之無名氏本。日本經絡學會於一九九二年與《素問》顧從德本合訂影印發行。

2）明代周曰校本。明萬曆十二年甲申（一五八四）綉古書林周曰校據無名氏本重刻，二十四卷，八十一篇。森立之云：『周曰校本卷數亦與此同（謂與無名氏本同）。皇國重刊本文字多訛，亦非周氏之舊。』

無名氏本、周曰校本與人民衛生出版社一九五六年影印發行的趙府居敬堂本文字多有出入。

（2）《靈樞》十二卷本，主要有以下版本。

1）元古林書堂本。研究古林書堂本《靈樞》需關注古林書堂本的《素問》。元古林書堂《靈樞》《素問》是合刻本。所刻《素問》全稱《新刊補注釋文黄帝内經素問》，十二卷，八十一篇。《素問》總目有一枚長方黑邊木印：『是書乃醫家至切至要之文，惜乎舊本訛舛漏落，有誤學者，本堂今求到元豐孫校正家藏善本，重加訂正，分爲一十二卷，以便檢閲。衛生君子，幸垂藻鑒。』總目末刻有一行文字：『元本二十四卷，今併爲十二卷刊行。』『元本』即『原本』。書末附《素問遺篇》一卷。古林書堂所刻《靈樞》全稱《新刊黄帝内經靈樞》，總目刻有『元作二十四卷，今併爲十二卷，計八十一篇』，總目之尾刻有黑地白文長條木印『至元己卯古林胡氏新刊』。『已卯』當爲西元一三三九年。胡氏古林書堂本《靈樞》卷一末有長方木印『至元庚辰菖節/古林書堂印行』。『至元庚辰』爲後至元六年，即西元一三四〇年。是以古林書堂本《新刊黄帝内經靈樞》始刻於一三三九年，刻竣於一三四〇年。考察《靈樞》古林書堂本當注意此書總目標題與分卷標題稍異。總目標題爲『黄帝素問靈樞集注目録』，《靈樞》卷一正文標題爲『新刊黄帝内經靈樞』，卷二至卷十二每卷正文標題爲『黄帝素問靈樞集注』，反映刻工非一人，故有此小疵。《靈樞》胡氏本無注，『集注』二字刊於書中尤爲不當。古林書堂本今藏中國國家圖書館，日本宫内廳書陵部亦藏一部。胡氏古林書堂本《素問》《靈樞》具有寶貴的文獻價值。《素問》每卷之首皆題『啓玄子次注，林億、孫奇、高保衡等奉敕校正』，孫奇是校正醫書局非常重要的校注專家。古林書堂本《素問》所據底本就是孫奇家所藏之書。胡氏古林書堂本《靈樞》所據底本是南宋史崧本。因此，胡氏古林書堂本《素問》《靈樞》在《黄帝内經》版本之學上具有非常重要的地位。

胡氏古林書堂本有訛字。『官能』『言陰與五，合於五行。五藏六府，亦有所藏』。『五』字訛，當作『陽』。同篇『男陰女陽，良工所禁』，當作『男陽女陰』，與下句『禁』字押韵。

2）明成化八年（一四七二）熊宗立本。十二卷，八十一篇。森立之《經籍訪古志補遺》云：『此依元槧重雕。末記成化甲午年熊氏種德堂。』按，《中國中醫古籍總目》『醫經類』第一頁云：『明成化八年壬辰（一四七二）鰲峰熊宗立種德堂仿元本重刻本。』熊宗立本據元代古林書堂刻本《靈樞》翻刻，始刻於成化八年（一四七二），刻竣於成化十年甲午（一四七四）。

3）明嘉靖四年乙酉（一五二五）田經刻本。十二卷，八十一篇。全稱《新刊黄帝内經靈樞集注》。目録刻有『曆城縣儒學教諭田經校正』，通稱『田經本』。日本オリエント出版社一九九三年一月影印《黄帝内經版本叢刊》收録田經本，改名爲『朝鮮刊活字本《新刊黄帝内經靈樞集注》』。『朝鮮刊活字本』即田經本。

4）明嘉靖間（一五二二—一五六六）趙府居敬堂本。十二卷，八十一篇。森立之《經籍訪古志補遺》云：『不記刊行年月，紙板極精，似嘉靖間物。考《明史》趙簡王高燧，永樂二年封，子孫承襲至萬曆中。』《中國中醫古籍總目》『醫經類』第一頁云：『明嘉靖趙康王朱厚煜居敬堂刻本。』通稱主持刊刻者爲趙康王朱厚煜。此本品相極佳。當今古籍收藏大家周叔弢論版本之善否有五條標準，曰：『一，板刻好，不能是邋遢本，這好比先天體格强健。二，紙張好，印刷好，這好比後天營養好。三，題跋好，這好比此人富有才華，有學問。四，收藏印章好，這好比美人淡妝。五，裝潢好，這好比衣冠整齊。』在明代所有刻本中，《靈樞》趙府居敬堂本品相最好，然訛字亦最多。傅山、蕭延平校勘《靈樞》所用底本即爲趙府居敬堂本。

5）明嘉靖間（一五二二—一五六六）吴悌本。十二卷，八十一篇。無刊行年月。森立之《經籍訪古志補遺》云：『係白文，蓋嘉靖間本。』《中國中醫古籍總目》『醫經類』第一頁云：『明嘉靖金溪吴悌校刻本。』

6）明萬曆二十九年（一六〇一）《醫統正脉》吴勉學本。十二卷，八十一篇。《中國中醫古籍總目》『醫經類』第二頁云：『明萬曆二九年辛丑（一六〇一）新安吴勉學校刻《古今醫統正脉全書》本。』

《靈樞》二十四卷本、十二卷本是《靈樞》基本版式，其中又以趙府居敬堂本流行最廣。一九五六年人民衛生出版社影印趙府居敬堂本，此後皆以人民衛生出版社影印本爲底本翻刻與録排。一九六四年人民衛生出版社出版劉衡如《靈樞》校勘本，亦以趙府居敬堂本爲底本，則《靈樞》趙府居敬堂本幾乎一統天下矣。使用趙府居敬堂本務須參閲收藏於中國國家圖書館的蕭延平《靈樞》勘誤本與人衛本卷末附《靈樞經勘誤表》。

研究《靈樞》版本史，還應注意明代道藏本、《靈樞》本（一爲二十三卷本，一爲一卷本）及京本《靈樞》二卷本。

（3）《靈樞》道藏本，有以下版本。

1）《道藏》二十三卷本。

此本收入明《道藏》中，全稱《黄帝素問靈樞集注》二十三卷本。白文，無注。森立之稱『道藏本蓋亦祖胡氏者』，謂以古林書堂本《靈樞》爲底本。中國著名中醫版本學家馬繼興《中醫文獻學·第二章》説：『這是在二十四卷本基礎上調整卷數而内容未變的白文本，於明代編入《道藏》。書名雖改爲《黄帝素問靈樞集注》，實則並無《素問》及集注。現存涵芬樓影印《道藏》中。』今細核之，此二十三卷本係在二十四卷本基礎上合併一些篇目而成。如二十四卷本之第二十四卷只有『大惑論第八十』『癰疽第八十一』兩篇，道藏本將此兩篇合併到第二十三卷，此二十三卷包括三篇文章，即『歲露論第七十九』加上第八十、第八十一。其他篇目亦有小的調整，而内容未改。

2）《道藏》一卷本。

一卷本全稱『黄帝内經靈樞略』一卷。森立之《經籍訪古志補遺》云：『抄出於《道藏·太玄部》業字号。小島學古曰，鄭氏《通志·藝文略》「靈樞略」一卷，殆是書也。』馬繼興云：『係節録自《靈樞》的早期傳本，對於校勘《靈樞》有一定參考意義。』考《靈樞略》包括如下文章：『六氣論篇』『迷惑論篇』『無音論篇』，還有一篇無題。此一卷總計兩千六百餘字。在研究《靈樞》文獻史時具有較高參考價值。

（4）京本《靈樞》二卷本。

臺北圖書館收藏明福建書林詹林所進賢堂《京本校正注釋音文黄帝内經素問靈樞》十五卷本，其中第一卷至第十三卷爲《素問》，第十四、十五兩卷爲《靈樞》。日本《黄帝内經版本叢刊》第九册收録二卷本。此二卷的總標題爲『京本黄帝内經靈樞』，其中第十四卷包括『九鍼十二原第一』至『陰陽清濁第四十』四十篇，第十五卷包括『病傳第四十二』至『癰疽第八十一』四十一篇。每半葉十二行，行二十五字，品相不如趙府居敬堂本清爽。

日本オリエント出版社將上述四種《靈樞》元、明諸本全部影印收入《黄帝内經版本叢刊》中。其收録版本列舉如下。

元古林書堂本。

明熊宗立本。

明詹林所本。

明吴悌本。

明周曰校本。

明吴勉學本。

明正統道藏本。

明田經本，日本オリエント出版社稱之爲『朝鮮刊活字本』。

日本《黄帝内經版本叢刊》將《素問》《靈樞》重要版本影印收録，對研究《素問》《靈樞》具有重要意義。

二〇一七年北京神黄科技股份有限公司總經理王和平先生斥巨資將日本大阪オリエント出版社影印出版的全部中日兩國珍善本中醫典籍購歸，更名爲《域外中醫古籍叢書》，其中包括《黄帝内經版本叢刊》。王和平先生將《域外中醫古籍叢書》贈送北京中醫藥大學國學院一套。

錢超塵

素問靈樞集註目錄

作二十四卷　今併爲十二卷　計八十一篇

卷之一

卷之二

卷之三

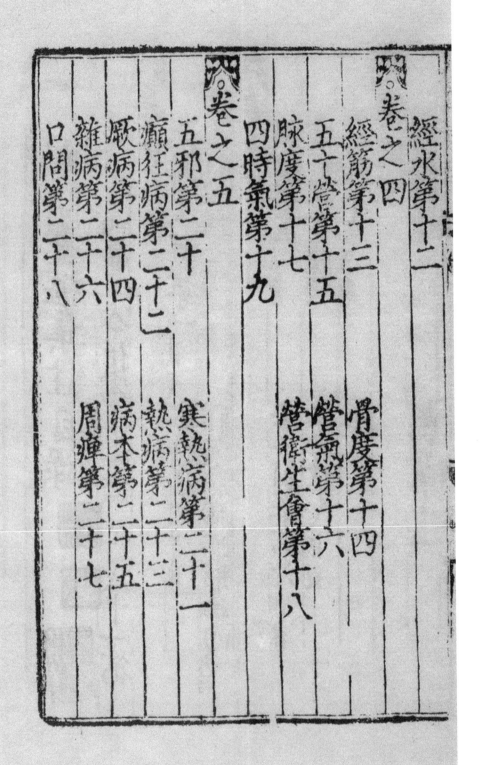

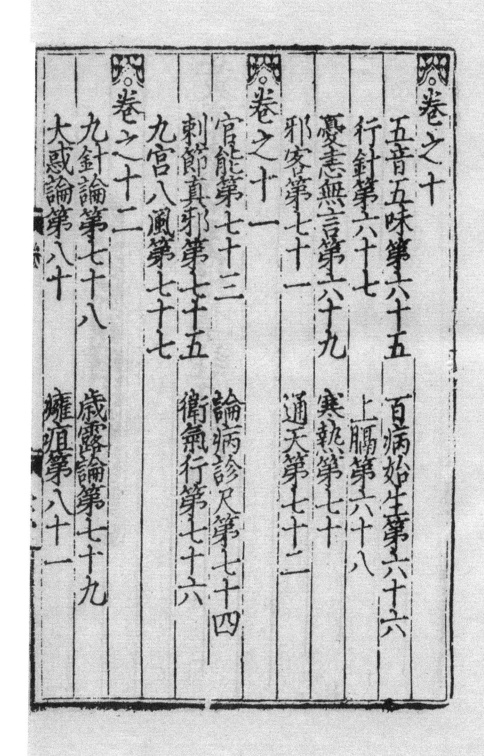

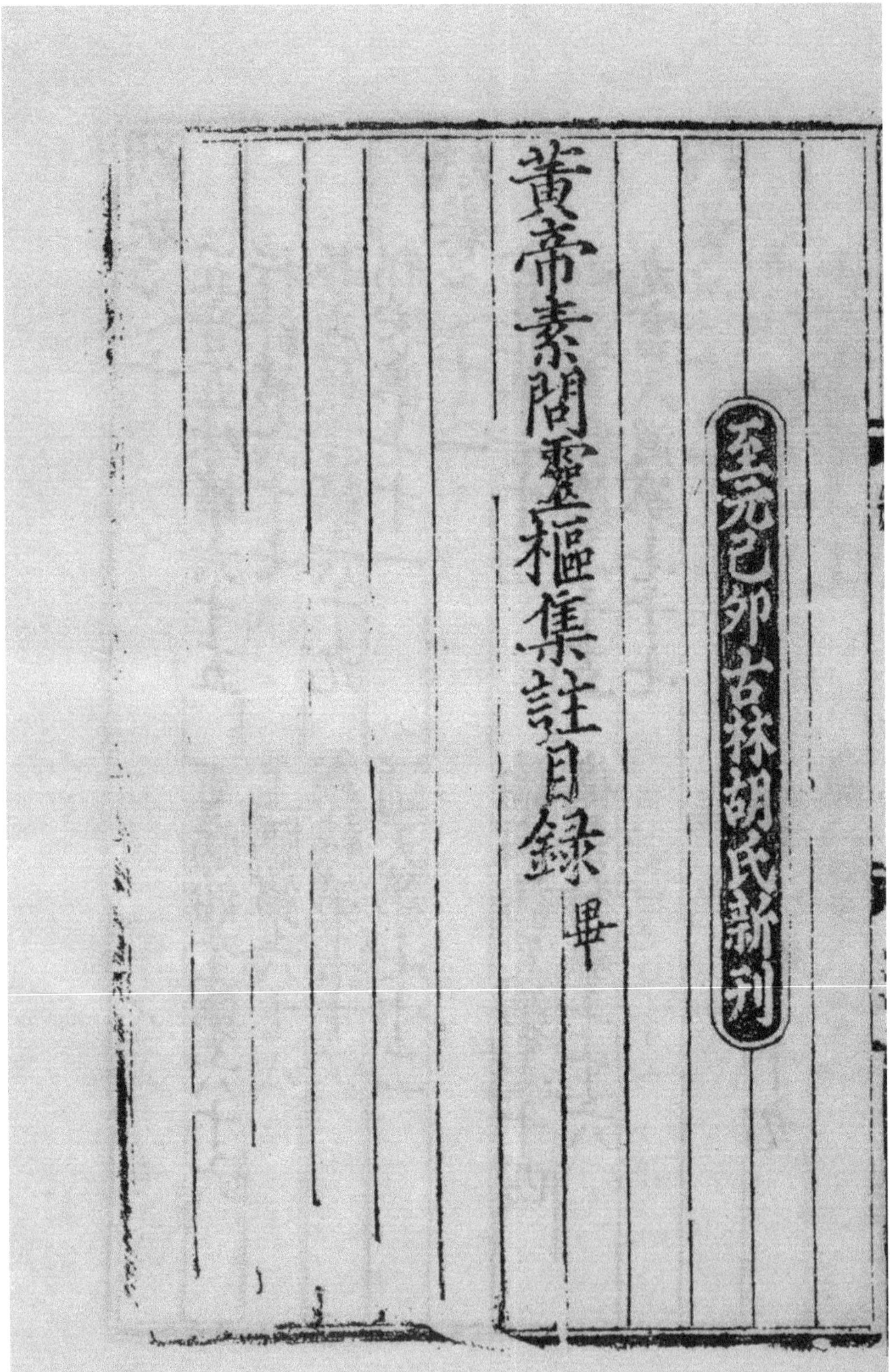
黃帝素問靈樞集註目錄
畢
至元己卯古林胡氏新刊

新刊黄帝内經靈樞卷第一

九針十二原第一 法天

黄帝問於岐伯曰余子萬民養百姓而收其租稅余哀其不給而屬有疾病余欲勿使被毒藥無用砭石欲以微針通其經脈調其血氣營其逆順出入之會令可傳於後世必明為之法令終而不滅久而不絕易用難忘為之經紀異其章別其表裏為之終始令各有形先立針經願聞其情岐伯荅曰臣請推而次之令有綱紀始於一終於九焉請言其道小針之要易陳而難入粗守形上守神神乎神客在門未覩其疾惡知其原刺之微在速遲粗守關上守機機之動不離其空空中之機清靜而微其來不可逢其往不可追知機之道者不可掛以髮不知機道叩之不發知其往來要與之期粗之闇乎妙哉工獨有之往者為逆來者為順明知逆順正行無問迎而奪之惡得無虛追而

瀉之惡得無實迎之隨之以意和之針道畢矣凡用針者虛則實之滿則泄之宛陳則除之邪勝則虛之大要曰徐而疾則實疾而徐則虛言實與虛若有若無察後與先若存若亡為虛與實若得若失虛實之要九針最妙補寫之時以針為之寫曰必持內之放而出之排陽得針邪氣得泄按而引針是謂內溫血不得散氣不得出也補曰隨之隨之意若妄之若行若按如蚊虻止如留如還去如弦絕令左屬右其氣故止外門已閉中氣乃實必無留血急取誅之持針之道堅者為寶正指直刺無針左右神在秋毫屬意病者審視血脈者刺之無殆方刺之時必在懸陽及與兩衛神屬勿去知病存亡血脈者在腧橫居視之獨澄切之獨堅九針之名各不同形一曰鑱針長一寸六分二曰員針長一寸六分三曰鍉針長三寸半四曰鋒針長一寸六分五曰鈹針長四寸廣二分半六曰員利針長一寸六分七曰毫針長三寸六分八曰長針長七寸九曰大針長四寸鑱針者

頭大末銳去寫陽氣員針者針如卵形揩摩分間不得傷肌肉
以寫分氣鍉針者鋒如黍粟之銳主按脈勿陷以致其氣鋒針
者刃三隅以發痼疾鈹針者末如劍鋒以取大膿員利針者大
如氂且員且銳中身微大以取暴氣毫針者尖如蚊虻喙靜以
徐往微以久留之而養以取痛痺長針者鋒利身薄可以取遠
痺大針者尖如挺其鋒微員以寫機關之水也九針畢矣夫氣
之在脈也邪氣在上濁氣在中清氣在下故針陷脈則邪氣出
針中脈則濁氣出針大深則邪氣反沉病益故曰皮肉筋脈各
有所處病各有所宜各不同形各以任其所宜無實無虛損不
足而益有餘是謂甚病病益甚取五脈者死取三脈者恇奪陰
者死奪陽者狂針害畢矣刺之而氣不至無問其數刺之而氣
至乃去之勿復針針各有所宜各不同形各任其所為刺之要
氣至而有效效之信若風之吹雲明乎若見蒼天刺之道畢矣
黃帝曰願聞五藏六府所出之處岐伯曰五藏五腧五五二十

五腧六府六腧六六三十六腧經脈十二絡脈十五凡二十七氣以上下所出爲井所溜爲滎所注爲腧所行爲經所以爲合二十七氣所行皆在五腧也節之交三百六十五會知其要者一言而終不知其要流散無窮所言節者神氣之所遊行出入也非皮肉筋骨也覩其色察其目知其散復一其形聽其動靜知其邪正右主推之左持而禦之氣至而去之凡將用鍼必先診脈視氣之劇易乃可以治也五藏之氣已絕於內而用鍼者反實其外是謂重竭重竭必死其死也靜治之者輒反其氣取腋與膺五藏之氣已絕於外而用鍼者反實其內是謂逆厥逆厥則必死其死也躁治之者反取四末刺之害中而不去則精泄害中而去則致氣精泄則病益甚而恇致氣則生爲癰瘍五藏有六府六府有十二原十二原出於四關四關主治五藏五藏有疾當取之十二原十二原者五藏之所以稟三百六十五節氣味也五藏有疾也應出十二原十二原各有所出明知其原

覩其應而知五藏之害矣陽中之少陰肺也其原出於大淵大淵二陽中之太陽心也其原出於大陵大陵二陰中之少陽肝也其原出於太衝太衝二陰中之至陰脾也其原出於太白太白二陰中之太陰腎也其原出於太谿太谿二膏之原出於鳩尾鳩尾一肓之原出於脖胦脖胦一凡此十二原者主治五藏六府之有疾者也脹取三陽飧泄取三陰今夫五藏之有疾也譬猶刺也猶污也猶結也猶閉也刺雖久猶可拔也污雖久猶可雪也結雖久猶可解也閉雖久猶可決也或言久疾之不可取者非其說也夫善用針者取其疾也猶拔刺也猶雪污也猶解結也猶決閉也疾雖久猶可畢也言不可治者未得其術也刺諸熱者如以手探湯刺寒清者如人不欲行陰有陽疾者取之下陵三里正往無殆氣下乃止不下復始也疾高而內者取之陰之陵泉疾高而外者取之陽之陵泉也

宛陳上音鬱又於阮切 氂音毛又音釐 注 搯 鑱鋤銜切 鍉音低 鈹音皮

亢豪下號 取三脈者恇恇曲王切恇謂… 淺… 脖胦上蒲沒切下烏朗切 溜
…滎音營小水也

○本輸第二

黃帝問於岐伯曰凡刺之道必通十二經絡之所終始絡脈之所別處五輸之所留六府之所與合四時之所出入五藏之所溜處闊數之度淺深之狀高下所至願聞其解岐伯曰請言其次也肺出於少商少商者手大指端內側也為井木溜于魚際魚際者手魚也為滎注于大淵大淵魚後一寸陷者中也為腧行于經渠經渠寸口中也動而不居為經入于尺澤尺澤肘中之動脈也為合手太陰經也心出於中衝中衝手中指之端也為井木溜於勞宮勞宮掌中中指本節之內間也為滎注于大陵大陵掌後兩骨之間方下者也為腧行於間使間使之道兩筋之間三寸之中也有過則至無過則止為經入于曲澤曲澤肘內廉下陷者之中也屈而得之為合手少陰也肝出于大敦

大敦者足大指之端及三毛之中也爲井木溜于行間行間足
大指間也爲滎注于大衝大衝行間上二寸陷者之中也爲腧
行于中封中封內踝之前一寸半陷者之中使逆則宛使和則
通搖足而得之爲經入于曲泉曲泉輔骨之下大筋之上也屈
膝而得之爲合足厥陰也脾出于隱白隱白者足大指之端內
側也爲井木溜于大都大都本節之後下陷者之中也爲滎注
于太白太白腕骨之下也爲腧行于商丘商丘內踝之下陷者
之中也爲經入于陰之陵泉陰之陵泉輔骨之下陷者之中也
伸而得之爲合足太陰也腎出于湧泉湧泉者足心也爲井木
溜于然谷然谷然骨之下者也爲滎注于太谿太谿內踝之後
跟骨之上陷中者也爲腧行于復溜復溜上內踝二寸動而不
休爲經入于陰谷陰谷輔骨之後大筋之下小筋之上也按之
應手屈膝而得之爲合足少陰經也膀胱出於至陰至陰者足
小指之端也爲井金溜于通谷通谷本節之前外側也爲滎注

于束骨束骨本節之後陷者中也為腧過于京骨京骨足外側
大骨之下為原行于崑崙崑崙在外踝之後跟骨之上為經入
于委中委中膕中央為合委而取之足太陽也膽出于竅陰竅
陰者足小指次指之端也為井金溜于俠谿俠谿足小指次指
之間也為滎注于臨泣臨泣上行一寸半陷者中也為腧過于
丘墟丘墟外踝之前下陷者中也為原行于陽輔陽輔外踝之
上輔骨之前及絕骨之端也為經入于陽之陵泉陽之陵泉在
膝外陷者中也為合伸而得之足少陽也胃出于厲兌厲兌者
足大指內次指之端也為井金溜于內庭內庭次指外間也為
滎注于陷谷陷谷者上中指內間上行二寸陷者中也為腧過
于衝陽衝陽足跗上五寸陷者中也為原搖足而得之行于解
谿解谿上衝陽一寸半陷者中也為經入于下陵下陵膝下三
寸胻骨外三里也為合復下三里三寸為巨虛上廉復下上廉
三寸為巨虛下廉也大腸屬上小腸屬下足陽明胃脈也大腸

小腸皆屬于胃是足陽明也三焦者上合手少陽出于關衝關衝者手小指次指之端也為井金溜于液門液門小指次指之間也為滎注于中渚中渚本節之後陷中者也為腧過于陽池陽池在腕上陷者之中也為原行于支溝支溝上腕三寸兩骨之間陷者中也為經入于天井天井在肘外大骨之上陷者中也為合屈肘乃得之三焦下腧在于足大指之前少陽之後出于膕中外廉名曰委陽是太陽絡也手少陽經也三焦者足少陽太陰（一本作陽）之所將太陽之別也上踝五寸別入貫腨腸出于委陽並太陽之正入絡膀胱約下焦實則閉癃虛則遺溺遺溺則補之閉癃則瀉之手太陽小腸者上合於太陽出于少澤少澤小指之端也為井金溜于前谷前谷在手外廉本節前陷者中也為滎注于後谿後谿者在手外側本節之後也為腧過于腕骨腕骨在手外側腕骨之前為原行于陽谷陽谷在銳骨之下陷者中也為經入于小海小海在肘內大骨之外去端半寸

陷者中也伸臂而得之爲合手太陽經也大腸上合手陽明出于商陽商陽大指次指之端也爲井金溜于本節之前二間爲滎注于本節之後三間爲腧過于合谷合谷在大指岐骨之間爲原行于陽谿陽谿在兩筋間陷者中也爲經入于曲池在肘外輔骨陷者中屈臂而得之爲合手陽明也是謂五藏六府之腧五五二十五腧六六三十六腧也六府皆出足之三陽上合于手者也缺盆之中任脉也名曰天突一次任脉側之動脉足陽明也名曰人迎二次脉手陽明也名曰扶突三次脉手太陽也名曰天窻四次脉足少陽也名曰天容五次脉手少陽也名曰天牖六次脉足太陽也名曰天柱七次脉頸中央之脉督脉也名曰風府腋內動脉手太陰也名曰天府腋下三寸手心主也名曰天池刺上關者呿不能欠刺下關者欠不能呿刺犢鼻者屈不能伸刺兩關者伸不能屈足陽明挾喉之動脉也其腧在膺中手陽明次在其腧外不至曲頰一寸手太陽當曲頰足

少陽。在耳下曲頰之後手少陽出耳後上加完骨之上足太陽
挾項大筋之中髮際陰尺動脈在五里五腧之禁也肺合大腸
大腸者傳道之府心合小腸小腸者受盛之府肝合膽膽者中
精之府脾合胃胃者五穀之府腎合膀胱膀胱者津液之府也
少陽屬腎腎上連肺故將兩藏三焦者中瀆之府也水道出焉
屬膀胱旁光是孤之府也是六府之所與合者春取絡脈諸滎大經
分肉之間甚者深取之間者淺取之夏取諸腧孫絡肌肉皮膚
之上秋取諸合餘如春法冬取諸井諸腧之分欲深而留之此
四時之序氣之所處病之所舍藏之所宜轉筋者立而取之可
令遂已痿厥者張而刺之可令立快也
閱數所角切足跗音夫下音呿丘伽切腨時兗切

○小針解第三　法人

所謂易陳者易言也難入者難著于人也粗守形者守刺法也
上守神者守人之血氣有餘不足可補寫也神客者正邪共會

也神者正氣也客者邪氣也在門者邪循正氣之所出入也未
覩其疾者先知邪正何經之疾也惡知其原者先知何經之病
所取之處也刺之微者數遲者徐疾之意也粗守關者守四肢
而不知血氣正邪之往來也上守機者知守氣也機之動不離
其空中者知氣之虛實用針之徐疾也空中之機清淨以微者
針以得氣密意守氣勿失也其來不可逢者氣盛不可補也其
往不可追者氣虛不可寫也不可掛以髮者言氣易失也扣之
不發者言不知補寫之意也血氣已盡而氣不下也知其往來
者知氣之逆順盛虛也要與之期者知氣之可取之時也粗之
闇者冥冥不知氣之微密也妙哉上獨有之者盡知針意也往
者為逆者言氣之虛而小小者逆也來者為順者言形氣之平
平者順也明知逆順正行無問者言知所取之處也迎而奪之
者寫也追而濟之者補也所謂虛則實之者氣口虛而當補之
也滿則泄之者氣口盛而當寫之也宛陳則除之者去血脈也

邪勝則虚之者言諸經有盛者皆寫其邪也徐而疾則實者言
徐内而疾出也疾而徐則虚者言疾内而徐出也言實與虚若
有若无者言實者有氣虚者无氣也察後與先若亡若存者言
氣之虚實補寫之先後也察其氣之已下與常存也爲虚與實
若得若失者言補者佖然若有得也寫則怳然若有失也夫氣
之在脉也邪氣在上者言邪氣之中人也高故邪氣在上也濁
氣在中者言水穀皆入于胃其精氣上注於肺濁溜于腸胃言
寒温不適飲食不節而病生于腸胃故命曰濁氣在中也清氣
在下者言清濕地氣之中人也必從足始故曰清氣在下也針
陷脉則邪氣出者取之上針中脉則邪氣出者取之陽明合也
針大深則邪氣反沉者言淺浮之病不欲深刺也深則邪氣從
之入故曰反沉也皮肉筋脉各有所處者言經絡各有所主也
取五脉者死言病在中氣不足但用針盡大寫其諸陰之脉也
取三陽之脉者唯言盡寫三陽之氣令病人恇然不復也奪陰

者死言取尺之五里五往者也奪陽者狂正言也觀其色察其目知其散復一其形聽其動靜者言上工知相五色于目有知調尺寸小大緩急滑濇以言所病也知其邪正者知論虛邪與正邪之風也右主推之左持而御之者言持鍼而出入也氣至而去之者言補寫氣調而去之也調氣在于終始一者持心也節之交三百六十五會者絡脈之滲灌諸節者也所謂五藏之氣已絕于內者脈口氣內絕不至反取其外之病処与陽經之合有留針以致陽氣陽氣至則內重竭重竭則死矣其死也无氣以動故靜所謂五藏之氣已絕于外者脈口氣外絕不至反取其四末之輸有留針以致其陰氣陰氣至則陽氣反入入則逆逆則死矣其死也陰氣有餘故躁所以察其目者五藏使五色循明循明則聲章聲章者則言聲與平生異也

恇然[illegible] 悗然[illegible]

○邪氣藏府病形第四 法時

黃帝問於岐伯曰邪氣之中人也柰何岐伯答曰邪氣之中人高也黃帝曰高下有度乎岐伯曰身半已上者邪中之也身半以下者濕中之也故曰邪之中人也无有常中于陰則溜于府中于陽則溜于經黃帝曰陰之與陽也異名同類上下相會經絡之相貫如環无端邪之中人或中于陰或中于陽上下左右无有恒常其故何也岐伯曰諸陽之會皆在于面中人也方乘虛時及新用力若飲食汗出腠理開而中于邪中于面則下陽明中于項則下太陽中于頰則下少陽其中于膺背兩脇亦中其經黃帝曰其中于陰柰何岐伯答曰中于陰者常從臂胻始夫臂與胻其陰皮薄其肉淖澤故俱受于風獨傷其陰黃帝曰此故傷其藏乎岐伯答曰身之中于風也不必動藏故邪入于陰經則其藏氣實邪氣入而不能客故還之於府故中陽則溜于經中陰則溜于府黃帝曰邪之中人藏柰何岐伯曰愁憂恐懼則傷心形寒寒飲則傷肺以其兩寒相感中外皆傷故氣逆

而上行有所墮墜惡血留內若有所大怒氣上而不下積于脅
下則傷肝有所擊仆若醉入房汗出當風則傷脾有所用力舉
重若入房過度汗出浴水則傷腎黄帝曰五藏之中風奈何岐
伯曰陰陽俱感邪乃得往黄帝曰善哉黄帝問於岐伯曰首面
与身形也屬骨連筋同血合於氣耳天寒則裂地凌冰其卒寒
或手足懈惰然而其面不衣何也岐伯答曰十二經脉三百六
十五絡其血氣皆上于面而走空竅其精陽氣上走於目而為
睛其别氣走於耳而為聽其宗氣上出於鼻而為臭其濁氣出
於胃走脣舌而為味其氣之津液皆上熏于面而皮又厚其肉
堅故天熱甚寒不能勝之也黄帝曰邪之中人其病形何如岐
伯曰虚邪之中身也洒淅動形正邪之中人也微先見于色不
知于身若有若无若亡若存有形无形莫知其情黄帝曰善哉
黄帝問於岐伯曰余聞之見其色知其病命曰明按其脉知其
病命曰神問其病知其處命曰工余願聞見而知之按而得之

問而極之爲之柰何岐伯答曰夫色脉與尺之相應也如桴鼓
影響之相應也不得相失也此亦本末根葉之出候也故根死
則葉枯矣色脉形肉不得相失也故知一則爲工知二則爲神
知三則神且明矣黄帝曰願卒聞之岐伯答曰色青者其脉弦
也赤者其脉鉤也黄者其脉代也白者其脉毛黒者其脉石見
其色而不得其脉反得其相勝之脉則死矣得其相生之脉則
病已矣黄帝問於岐伯曰五藏之所生變化之病形何如岐伯
答曰先定其五色五脉之應其病乃可別也黄帝曰色脉已定
別之柰何岐伯曰調其脉之緩急小大滑濇而病變定矣黄帝
曰調之柰何岐伯答曰脉急者尺之皮膚亦急脉緩者尺之皮
膚亦緩脉小者尺之皮膚亦減而少氣脉大者尺之皮膚亦賁
而起脉滑者尺之皮膚亦滑脉濇者尺之皮膚亦濇凡此變者
有微有甚故善調尺者不待於寸善調脉者不待於色能參合
而行之者可以爲上工上工十全九行二者爲中工中工十全

七行一者爲下工下工十全六黃帝曰請問脉之緩急小大滑濇之病形何如岐伯曰臣請言五藏之病變也心脉急甚者爲瘛瘲微急爲心痛引背食不下緩甚爲狂笑微緩爲伏梁在心下上下行時唾血大甚爲喉吤微大爲心痺引背善淚出小甚爲善噦微小爲消癉滑甚爲善渴微滑爲心疝引臍小腹鳴濇甚爲瘖微濇爲血溢維厥耳鳴顛疾　肺脉急甚爲癲疾微急爲肺寒熱怠惰欬唾血引腰背胷若鼻息肉不通緩甚爲多汗微緩爲痿瘻偏風頭以下汗出不可止大甚爲脛腫微大爲肺痺引胷背起惡日光小甚爲泄微小爲消癉滑甚爲息賁上氣微滑爲上下出血濇甚爲嘔血微濇爲鼠瘻在頸支腋之閒下不勝其上其應善痠矣　肝脉急甚者爲惡言微急爲肥氣在脇下若覆杯緩甚爲善嘔微緩爲水瘕痺也大甚爲內癰善嘔衄微大爲肝痺陰縮欬引小腹小甚爲多飲微小爲消癉滑甚爲㿗疝微滑爲遺溺濇甚爲溢飲微濇爲瘛瘲筋痺　脾脉急

甚為瘈瘲微急為膈中食飲入而還出後沃沫。緩甚為痿厥微緩為風痿四肢不用。心慧然若無病大甚為擊仆微大為疝氣腹裏大膿血在腸胃之外小甚為寒熱微小為消癉滑甚為𤸇癃微滑為蟲毒蛕蝎腹熱濇甚為腸㿉微濇為內㿉多下膿血

腎脈急甚為骨癲疾微急為沉厥奔豚足不收不得前後緩甚為折脊微緩為洞洞者食不化下嗌還出大甚為陰痿微大為石水起臍已下至小腹腄腄然上至胃脘死不治小甚為洞泄微小為消癉滑甚為癃㿉微滑為骨痿坐不能起起則目無所見濇甚為大癰微濇為不月沉痔

黃帝曰病之六變者刺之柰何岐伯荅曰諸急者多寒緩者多熱大者多氣少血小者血氣皆少滑者陽氣盛微有熱濇者多血少氣微有寒是故刺急者深內而久留之刺緩者淺內而疾發鍼。以去其熱刺大者微寫其氣無出其血刺滑者疾發鍼而淺內之以寫其陽氣而去其熱刺濇者。必中其脈隨其逆順而久留之必先按而循之已發

鍼疾按其痏無令其血出以和其脉諸小者陰陽形氣俱不足
勿取以鍼而調以甘藥也黃帝曰余聞五藏六府之氣滎輸所
入為合令何道從入入安連過願聞其故岐伯答曰此陽脉之
別入于內屬於府者也黃帝曰滎輸與合各有名乎岐伯答曰
滎輸治外經合治內府黃帝曰治內府奈何岐伯曰取之於合
黃帝曰合各有名乎岐伯答曰胃合於三里大腸合入于巨虛
上廉小腸合入于巨虛下廉三焦合入於委陽膀胱合入于委
中央膽合入于陽陵泉黃帝曰取之奈何岐伯答曰取之三里
者低跗取之巨虛者舉足取之委陽者屈伸而索之委中者屈
而取之陽陵泉者正竪膝予之齊下至委陽之陽取之取諸外
經者揄申而從之黃帝曰願聞六府之病岐伯答曰面熱者足
陽明病魚絡血者手陽明病兩跗之上脉竪陷者足陽明病此
胃脉也大腸病者腸中切痛而鳴濯濯冬日重感于寒即泄當
臍而痛不能久立與胃同候取巨虛上廉胃病者腹䐜脹胃脘

當心而痛，上肢兩脇，膈咽不通，食飲不下，取之三里也。小腸病者，小腹痛，腰脊控睪而痛，時窘之後，當耳前熱，若寒甚，若獨肩上熱甚，及手小指次指之間熱，若脈陷者，此其候也。手太陽病也，取之巨虛下廉。三焦病者，腹氣滿，小腹尤堅，不得小便，窘急，溢則水留，即為脹，候在足太陽之外大絡，大絡在太陽少陽之間，亦見于脈，取委陽。膀胱病者，小腹偏腫而痛，以手按之，即欲小便而不得，肩上熱，若脈陷，及足小指外廉及脛踝後皆熱，若脈陷，取委中央。膽病者，善太息，口苦，嘔宿汁，心下澹澹，恐人將捕之，嗌中吤吤然，數唾，在足少陽之本末，亦視其脈之陷下者灸之，其寒熱者取陽陵泉。黃帝曰：刺之有道乎？岐伯答曰：刺此者，必中氣穴，無中肉節，中氣穴則鍼染遊一作于巷，中肉節即皮膚痛，補寫反則病益篤，中筋則筋緩，邪氣不出，與其真相搏，亂而不去，反還內著，用鍼不審，以順為逆也。

中于膺背膺背一作亦中其經一本作衍其經下渐切當淖澤上淖𣺰下皆同甲乙經

上音[illegible]下音[illegible] 入而不客一本作容 瘛瘲上[illegible]下[illegible] 吤音[illegible]

息賁下音奔 痠音酸 瘕音賈 蛕蛔上音回 下音[illegible] 腹中長虫也

腫竹垂切 痏榮美切 揄[illegible]切 睪音高[illegible] 維厥[illegible]

至元庚辰菖節

古林書堂[illegible]行

黃帝素問靈樞經集註卷之一

黄帝素問靈樞經集註卷之二

○根結第五 法音

岐伯曰天地相感寒暖相移陰陽之道孰少孰多陰道偶陽道奇發于春夏陰氣少陽氣多陰陽不調何補何寫發于秋冬陽氣少陰氣多陰氣盛而陽氣衰故莖葉枯槁濕雨下歸陰陽相移何寫何補奇邪離經不可勝數不知根結五藏六府折關敗樞開闔而走陰陽大失不可復取九針之玄要在終始故能知終始一言而畢不知終始鍼道咸絕太陽根于至陰結于命門命門者目也陽明根于厲兌結于顙大顙大者鉗耳也少陽根于竅陰結于窗籠窗籠者耳中也太陽為開陽明為闔少陽為樞故開折則肉節瀆而暴病起矣故暴病者取之太陽視有餘不足瀆者皮肉宛膲而弱也闔折則氣無所止息而痿疾起矣故痿疾者取之陽明視有餘不足無所止息者真氣稽留邪氣

居之也樞折即骨繇而不安於地故骨繇者取之少陽視有餘
不足骨繇者節緩而不收也所謂骨繇者搖故也當窮其本也
太陰根于隱白結于大倉少陰根于湧泉結于廉泉厥陰根于
大敦結于玉英絡于膻中太陰爲開厥陰爲闔少陰爲樞故開
折則倉廩無所輸膈洞膈洞者取之太陰視有餘不足故開折
者氣不足而生病也闔折即氣絕而喜悲悲者取之厥陰視有
餘不足樞折則脉有所結而不通不通者取之少陰視有餘不
足有結者皆取之不足足太陽根于至陰溜于京骨注于崑崙
入于天柱飛揚也足少陽根于竅陰溜于丘墟注于陽輔入于
天谷光明也足陽明根于厲兌溜于衝陽注于下陵入于人迎
豐隆也手太陽根于少澤溜于陽谷注于少海入于天窗支正
也手少陽根于關衝溜于陽池注于支溝入于天牖外關也手
陽明根于商陽溜于合谷注于陽谿入于扶突偏歷也此所謂
十二經者盛絡皆當取之一日一夜五十營以營五藏之精

應數者名曰狂生所謂五十營者五藏皆受氣持其脉口數其至也五十動而不一代者五藏皆受氣四十動一代者一藏無氣三十動一代者二藏無氣二十動一代者三藏無氣十動一代者四藏無氣不滿十動一代者五藏無氣予之短期要在終始所謂五十動而不一代者以爲常也以知五藏之期予之短期者乍數乍踈也黃帝曰逆順五體者言人骨節之小大肉之堅脆皮之厚薄血之清濁氣之滑濇脉之長短血之多少經絡之數余已知之矣此皆布衣匹夫之士也夫王公大人血食之君身體柔脆肌肉軟弱血氣慓悍滑利其刺之徐疾淺深多少可得同之乎岐伯荅曰膏粱菽藿之味何可同也氣滑即出疾其氣濇則出遲氣悍則鍼小而入淺氣濇則鍼大而入深深則欲留淺則欲疾以此觀之刺布衣者深以留之刺大人者微以徐之此皆因氣慓悍滑利也黃帝曰形氣之逆順柰何岐伯曰形氣不足病氣有餘是邪勝也急寫之形氣有餘病氣不足急

補之形氣不足病氣不足此陰陽氣俱不足也不可刺之刺之
則重不足重不足則陰陽俱竭血氣皆盡五藏空虛筋骨髓枯
老者絕滅壯者不復矣形氣有餘病氣有餘此謂陰陽俱有餘
也急瀉其邪調其虛實故曰有餘者瀉之不足者補之此之謂
也故曰刺不知逆順真邪相搏滿而補之則陰陽四溢腸胃充
郭肝肺內䐜陰陽相錯虛而瀉之則經脈空虛血氣竭枯腸胃
㒵辟皮膚薄著毛腠夭膲予之死期故曰用鍼之要在乎知調
陰與陽調陰與陽精氣乃光合形與氣使神內藏故曰上工平
氣中工亂脈下工絕氣危生故曰下工不可不慎也必審五藏
變化之病五脈之應經絡之實虛皮之柔麤而後取之也

骨繇䐜慓悍……陰陽道奇偶

○壽夭剛柔第六 法律

黃帝問於少師曰余聞人之生也有剛有柔有弱有強有短有
長有陰有陽願聞其方少師答曰陰中有陰陽中有陽審知陰

陽刺之有方得病所始刺之有理謹度病端與時相應內合于
五藏六府外合于筋骨皮膚是故內有陰陽外亦有陰陽在內
者五藏為陰六府為陽在外者筋骨為陰皮膚為陽故曰病在
陰之陰者刺陰之滎輸病在陽之陽者刺陽之合病在陽之陰
者刺陰之經病在陰之陽者刺絡脉故曰病在陽者命曰風病
在陰者命曰痺病陽俱病命曰風痺病有形而不痛者陽之類
也無形而痛者陰之類也無形而痛者其陽完而陰傷之也急
治其陰無攻其陽有形而不痛者其陰完而陽傷之也急治其
陽無攻其陰陰陽俱動乍有形乍無形加以煩心命曰陰勝其
陽此謂不表不裏其形不久黃帝問於伯高曰余聞形氣病之
先後外內之應奈何伯高荅曰風寒傷形憂恐忿怒傷氣氣傷
藏乃病藏寒傷形乃應形風傷筋脉筋脉乃應此形氣外內之
相應也黃帝曰刺之奈何伯高荅曰病九日者三刺而已病一
月者十刺而已多少遠近以此衰之久痺不去身者視其血絡

盡出其血黄帝曰外内之病難易之治柰何伯高荅曰形先病
而未入藏者刺之半其日藏先病而形乃應者刺之倍其日此
外内難易之應也黄帝問於伯高曰余聞形有緩急氣有盛衰
骨有大小肉有堅脆皮有厚薄其以立壽夭柰何伯高荅曰形
與氣相任則壽不相任則夭皮與肉相果則壽不相果則夭血
氣經絡勝形則壽不勝形則夭黄帝曰何謂形之緩急伯高荅
曰形充而皮膚緩者則壽形充而皮膚急者則夭形充而脉堅
大者順也形充而脉小以弱者氣衰衰則危矣若形充而顴不
起者骨小骨小而夭矣形充而大肉䐃堅而有分者肉堅肉堅
則壽矣形充而大肉無分理不堅者肉脆肉脆則夭矣此天之
生命所以立形定氣而視壽夭者必明乎此立形定氣而後以
臨病人決死生黄帝曰余聞壽夭無以度之伯高荅曰墻基卑
高不及其地者不滿三十而死其有因加疾者不及二十而死
也黄帝曰形氣之相勝以立壽夭柰何伯高荅曰平人而氣勝

形者壽病而形肉脫氣勝形者死形勝氣者危矣黃帝曰余聞
刺有三變何謂三變伯高答曰有刺營者有刺衛者有刺寒痺
之留經者黃帝曰刺三變者奈何伯高答曰刺營者出血刺衛
者出氣刺寒痺者內熱黃帝曰營衛寒痺之為病奈何伯高答
曰營之生病也寒熱少氣血上下行衛之生病也氣痛時來時
去怫愾賁響風寒客于腸胃之中寒痺之為病也留而不去時
痛而皮不仁黃帝曰刺寒痺內熱奈何伯高答曰刺布衣者以
火焠之刺大人者以藥熨之黃帝曰藥熨奈何伯高答曰用淳
酒二十升蜀椒一升乾薑一斤桂心一斤凡四種皆㕮咀漬酒
中用綿絮一斤細白布四丈并內酒中置酒馬矢熅中蓋封塗
勿使泄五日五夜出布綿絮曝乾之乾復漬以盡其汁每漬必
晬其日乃出乾乾并用滓與綿絮複布為複巾長六七尺為六
七巾則用之生桑炭炙巾以熨寒痺所刺之處令熱入至于病
所寒復炙巾以熨之二十遍而止汗出以巾拭身亦二十遍而

止起步内中無見風每刺必熨如此病已矣此所謂内熱也

顴音權䐃堅上渠永切腹中脂怫懣上扶勿切鬱也爲意[illegible]下[illegible]氣切 咬咀上音[illegible]下才与切

熅於文切熅熅氣也 晬其日周也上音醉

○官針第七法星

凡刺之要官針最妙九針之宜各有所爲長短大小各有所施也不得其用病弗能移疾淺針深内傷良肉皮膚爲癰病深針淺病氣不寫支爲大膿病小針大氣寫大甚疾必爲害病大針小氣不泄寫亦復爲敗失針之宜大者寫小者不移已言其過請言其所施病在皮膚無常處者取以鑱針于病所膚白勿取病在分肉間取以員針于病所病在經絡痼痺者取以鋒針病在脈氣少當補之者取之鍉針于井滎分輸病爲大膿者取以鈹針病痺氣暴發者取以員利針病痺氣痛而不去者取以毫針病在中者取以長針病水腫不能通關節者取以大針病在五藏固居者取以鋒針寫于井滎分輸取以四時凡刺有九以應

應九變一曰輸刺輸刺者刺諸經滎輸藏腧也二曰遠道刺遠道刺者病在上取之下刺府腧也三曰經刺經刺者刺大經之結絡經分也四曰絡刺絡刺者刺小絡之血脉也五曰分刺分刺者刺分肉之間也六曰大寫刺大寫刺者刺大膿以鈹針也七曰毛刺毛刺者刺浮痺皮膚也八曰巨刺巨刺者左取右右取左九曰焠刺焠刺者刺燔針則取痺也凡刺有十二節以應十二經一曰偶刺偶刺者以手直心若背直痛所一刺前一刺後以治心痺刺此者傍針之也二曰報刺報刺者刺痛無常處也上下行者直內無拔針以左手隨病所按之乃出針復刺之也三曰恢刺恢刺者直刺傍之舉之前後恢筋急以治筋痺也四曰齊刺齊刺者直入一傍入二以治寒氣小深者或曰三刺三刺者治痺氣小深者也五曰揚刺揚刺者正內一傍內四而浮之以治寒氣之博大者也六曰直針刺直針刺者引皮乃刺之以治寒氣之淺者也七曰輸刺輸刺者直入直出稀發針而深

之以治氣盛而熱者也八曰短刺短刺者刺骨痺稍搖而深之
致針骨所以上下摩骨也九曰浮刺浮刺者傍入而浮之以治
肌急而寒者也十曰陰刺陰刺者左右率刺之以治寒厥中寒
厥足踝後少陰也十一曰傍針刺傍針刺者直刺傍刺各一以
治留痺久居者也十二曰贊刺贊刺者直入直出數發針而淺
之出血是謂治癰腫也脈之所居深不見者刺之微內針而久
留之以致其空脈氣也脈淺者勿刺按絕其脈乃刺之無令精
出獨出其邪氣耳所謂三刺則穀氣出者先淺刺絕皮以出陽
邪再刺則陰邪出者少益深絕皮致肌肉未入分肉間也已入
分肉之間則穀氣出故刺法曰始刺淺之以逐邪氣而來血氣
後刺深之以致陰氣之邪最後刺極深之以下穀氣此之謂也
故用針者不知年之所加氣之盛衰虛實之所起不可以為工
也凡刺有五以應五藏一曰半刺半刺者淺內而疾發針無針
傷肉如拔毛狀以取皮氣此肺之應也二曰豹文刺豹文刺者

左右前後針之中脉爲故以取經絡之血者此心之應也三曰關刺關刺者直刺左右盡筋上以取筋痺慎無出血此肝之應也或曰淵刺一曰豈刺四曰合谷刺合谷刺者左右雞足針于分肉之間以取肌痺此脾之應也五曰輸刺輸刺者直入直出深內之至骨以取骨痺此腎之應也

燔針燔音煩 恢刺一本作撩字恢苦回切大也

本神第八 法風

黃帝問于岐伯曰凡刺之法先必本于神血脉營氣精神此五藏之所藏也至其淫泆離藏則精失魂魄飛揚志意恍亂智慮去身者何因而然乎天之罪與人之過乎何謂德氣生精神魂魄心意志思智慮請問其故岐伯答曰天之在我者德也地之在我者氣也德流氣薄而生者也故生之來謂之精兩精相搏謂之神隨神往來者謂之魂並精而出入者謂之魄所以任物者謂之心心有所憶謂之意意之所存謂之志因志而存變謂

之思因思而遠慕謂之慮因慮而處物謂之智故智者之養生也必順四時而適寒暑和喜怒而安居處節陰陽而調剛柔如是則僻邪不至長生久視是故怵惕思慮者則傷神神傷則恐懼流淫而不止因悲哀動中者竭絕而失生喜樂者神憚散而不藏愁憂者氣閉塞而不行盛怒者迷惑而不治恐懼者神蕩憚而不收心怵惕思慮則傷神神傷則恐懼自失破䐃脫肉毛悴色夭死于冬脾愁憂而不解則傷意意傷則悗亂四肢不舉毛悴色夭死於春肝悲哀動中則傷魂魂傷則狂忘不精不精則不正當人陰縮而攣筋兩脇骨不舉毛悴色夭死于秋肺喜樂無極則傷魄魄傷則狂狂者意不存人皮革焦毛悴色夭死于夏腎盛怒而不止則傷志志傷則喜忘其前言腰脊不可以俛仰屈伸毛悴色夭死于季夏恐懼而不解則傷精精傷則骨痠痿厥精時自下是故五藏主藏精者也不可傷傷則失守而陰虛陰虛則無氣無氣則死矣是故用鍼者察觀病人之態以

知精神䰟魄之存亡得失之意五者以傷鍼不可以治之也肝藏血血舍䰟肝氣虛則恐实則怒脾藏營營舍意脾氣虛則四支不用五藏不安实則腹脹經溲不利心藏脉脉舍神心氣虛則悲实則笑不休肺藏氣氣舍魄肺氣虛則鼻塞不利少氣实則喘喝胷盈仰息腎藏精精舍志腎氣虛則厥实則脹五藏不安必審五藏之病形以知其氣之虛实謹而調之也

悗乱上音悶 怵惕上丑律切下他歷切

○終始第九法野

凡刺之道畢于終始明知終始五藏為紀陰陽定矣陰者主藏陽者主府陽受氣于四末陰受氣于五藏故寫者迎之補者隨之知迎知隨氣可令和和氣之方必通陰陽五藏為陰六府為陽傳之後世以血為盟敬之者昌慢之者亡無道行私必得天殃謹奉天道請言終始終始者經脉為紀持其脉口人迎以知陰陽有餘不足平與不平天道畢矣所謂平人者不病不病者

脉口人迎應四時也上下相應而俱往來也六經之脉不結動
也本末之寒温之相守司也形肉血氣必相称也是謂平人少
氣者脉口人迎俱少而不称尺寸也如是者則陰陽俱不足補
陽則陰竭寫陰則陽脫如是者可將以甘藥不可飲以至劑如
此者弗灸不已者因而寫之則五藏氣壞矣人迎一盛病在足
少陽一盛而躁病在手少陽人迎二盛病在足太陽二盛而躁
病在手太陽人迎三盛病在足陽明三盛而躁病在手陽明人
迎四盛且大且數名曰溢陽溢陽為外格脉口一盛病在足厥
陰厥陰一盛而躁在手心主脉口二盛病在足少陰二盛而躁
在手少陰脉口三盛病在足太陰三盛而躁在手太陰脉口四
盛且大且數者名曰溢陰溢陰為内關内關不通死不治人迎
與太陰脉口俱盛四倍以上命曰關格關格者與之短期人迎
一盛寫足少陽而補足厥陰二寫一補日一取之必切而驗之
踈取之上氣和乃止人迎二盛寫足太陽補足少陰二寫一補

二日一取之必切而驗之踈取之上氣和。乃止人迎三盛寫足
陽明而補足太陰二寫一補日二取之必切而驗之踈取之上
氣和。乃止脉口一盛寫足厥陰而補足少陽二補一寫日一取
之必切而驗之踈而取上氣和。乃止脉口二盛寫足少陰而補
足太陽二補一寫二日一取之必切而驗之踈取之上氣和乃
止脉口三盛寫足太陰而補足陽明二補一寫日二取之必切
而驗之踈而取之上氣和。乃止所以日二取之者太陽主胃大
富于穀氣故可日二取之也人迎與脉口俱盛三倍以上命曰
陰陽俱溢如是者不開則血脉閉塞氣無所行流淫于中五藏
内傷如此者因而灸之則變易而為他病矣凡刺之道氣調而
止補陰寫陽音氣益彰耳目聰明反此者血氣不行所謂氣至
而有効者寫則益虛虛者脉大如其故而不堅也堅如其故者
適雖言故病未去也補則益實實者脉大如其故而益堅也夫
如其故而不堅者適雖言快病未去也故補則實寫則虛痛雖

不隨鍼病必衰去必先通十二經脉之所生病而後可得傳于終始矣故陰陽不相移虚实不相傾取之其經凡刺之屬三刺至穀氣邪僻妄合陰陽易居逆順相反沉浮異處四時不得稽留淫泆須鍼而去故一刺則陽邪出再刺則陰邪出三刺則穀氣至穀氣至而止所謂穀氣至者已補而实已寫而虚故以知穀氣至也邪氣獨去者陰與陽未能調而病知愈也故曰補則實寫則虚痛雖不隨鍼病必衰去矣陰盛而陽虚先補其陽後寫其陰而和之陰虚而陽盛先補其陰後寫其陽而和之三脉動于足大指之間必審其实虚虚而寫之是謂重虚重虚病益甚凡刺此者以指按之脉動而实且疾者疾寫之虚而徐者則補之反此者病益甚其動也陽明在上厥陰在中少陰在下膺腧中膺背腧中背肩膊虚者取之上重舌刺舌柱以鈹鍼也手屈而不伸者其病在筋伸而不屈者其病在骨在骨守骨在筋守筋補須一方实深取之稀按其痏以極出其邪氣一方虚淺

刺之以養其脉疾按其痏無使邪氣得入邪氣來也緊而疾穀氣來也徐而和脉實者深刺之以泄其氣脉虚者淺刺之使精氣無得出以養其脉獨出其邪氣刺諸痛者其脉皆實故曰從腰以上者手太陰陽明皆主之從腰以下者足太陰陽明皆主之病在上者下取之病在下者高取之病在頭者取之足病在腰者取之膕病生於頭者頭重生於手者臂重生於足者足重治病者先刺其病所從生者也春氣在毛夏氣在皮膚秋氣在分肉冬氣在筋骨刺此病者各以其時為齊故刺肥人者秋冬之齊刺瘦人者以春夏之齊病痛者陰也痛而以手按之不得者陰也深刺之病在上者陽也病在下者陰也癢者陽也淺刺之病先起陰者先治其陰而後治其陽病先起陽者先治其陽而後治其陰刺熱厥者留針反為寒刺寒厥者留針反為熱刺熱厥者二陰一陽刺寒厥者二陽一陰所謂二陰者二刺陰也一陽者一刺陽也久病者邪氣入深刺此病者深內而久留之

間日而復刺之必先調其左右去其血脉刺道畢矣凡刺之法必察其形氣形肉未脫少氣而脉又躁躁厥者必為繆刺之散氣可收聚氣可布深居靜處占神往來閉戶塞牖魂魄不散專意一神精氣之分毋聞人声以收其精必一其神令志在針淺而留之微而浮之以移其神氣至乃休男內女外堅拒勿出謹守勿內是謂得氣

凡刺之禁

新內勿刺　新刺勿內　已醉勿刺　已刺勿醉

新怒勿刺　已刺勿怒　新勞勿刺　已刺勿勞

已飽勿刺　已刺勿飽　已飢勿刺　已刺勿飢

已渴勿刺　已刺勿渴　大驚大恐必定其氣乃刺之乘車來者臥而休之如食頃乃刺之出行來者坐而休之如行十里頃乃刺之凡此十二禁者其脉亂氣散逆其營衛經氣不次因而刺之則陽病入於陰陰病出為陽則邪氣復生粗工勿察是

謂代息。形軀淫泆。乃消腦髓。津液不化。脫其五味。是謂失氣也。

太陽之脈。其終也。戴眼反折瘈瘲。其色白。絕皮乃絕汗。絕汗則終矣。少陽終者。耳聾。百節盡縱。目系絕。目系絕一日半則死矣。其死也。色青白乃死。陽明終者。口目動作。喜驚妄言。色黃。其上下之經盛而不行則終矣。少陰終者。面黑齒長而垢。腹脹閉塞。上下不通而終矣。厥陰終者。中熱嗌乾。喜溺心煩。甚則舌卷卵上縮而終矣。太陰終者。腹脹閉不得息。氣噫善嘔。嘔則逆。逆則面赤。不逆則上下不通。上下不通則面黑皮毛燋而終矣

繆刺 男內女外 難經作男外女內 淫泆 齒長 上平聲

黃帝素問靈樞集註卷之二

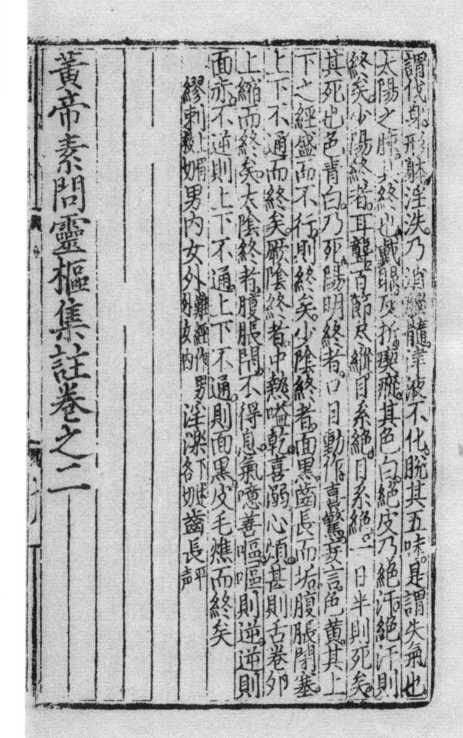

黃帝素問靈樞集註卷之三

經脉第十

雷公問於黃帝曰禁脉之言凡刺之理經脉為始營其所行制其度量內次五藏外別六府願盡聞其道黃帝曰人始生先成精精成而腦髓生骨為幹脉為營筋為剛肉為墻皮膚堅而毛髮長穀入于胃脉道以通血氣乃行雷公曰願卒聞經脉之始生黃帝曰經脉者所以能決死生處百病調虛實不可不通

肺手太陰之脉起于中焦下絡大腸還循胃口上膈屬肺從肺系橫出腋下下循臑內行少陰心主之前下肘中循臂內上骨下廉入寸口上魚循魚際出大指之端其支者從腕後直出次指內廉出其端是動則病肺脹滿膨膨而喘欬缺盆中痛甚則交兩手而瞀此為臂厥是主肺所生病者欬上氣喘渴煩心胷滿臑臂內前廉痛厥掌中熱氣盛有餘則肩背痛風寒汗出中

風小便數而欠氣虛則肩背痛寒少氣不足以息溺色變為此諸病盛則寫之虛則補之熱則疾之寒則留之陷下則灸之不盛不虛以經取之盛者寸口大三倍于人迎虛者則寸口反小于人迎也　大腸手陽明之脉起于大指次指之端循指上廉出合谷兩骨之間上入兩筋之中循臂上廉入肘外廉上臑外前廉上肩出髃骨之前廉上出于柱骨之會上下入缺盆絡肺下膈屬大腸其支者從缺盆上頸貫頰入下齒中還出挾口交人中左之右右之左上挾鼻孔是動則病齒痛頸腫是主津液所生病者目黃口乾鼽衄喉痹肩前臑痛大指次指痛不用氣有餘則當脉所過者熱腫虛則寒慄不復為此諸病盛則寫之虛則補之熱則疾之寒則留之陷下則灸之不盛不虛以經取之盛者人迎大三倍于寸口虛者人迎反小於寸口也　胃足陽明之脉起於鼻之交頞中旁納（一本作約字）太陽之脉下循鼻外入上齒中還出挾口環脣下交承漿却循頤後下廉出大迎循

頰車，上耳前，過客主人，循髮際，至額顱。其支者，從大迎前下人迎，循喉嚨，入缺盆，下膈，屬胃，絡脾。其直者，從缺盆下乳內廉，下挾臍，入氣街中。其支者，起于胃口，下循腹裏，下至氣街中而合，以下髀關，抵伏兎，下膝臏中，下循脛外廉，下足跗，入中指內間。其支者，下廉三寸而別，下入中指外間。其支者，別跗上，入大指間，出其端。是動則病洒洒振寒，善呻數欠，顏黑，病至則惡人與火，聞木聲則惕然而驚，心欲動，獨閉戶塞牖而處，甚則欲上高而歌，棄衣而走，賁響腹脹，是為骭厥。是主血所生病者，狂瘧溫淫，汗出，鼽衄，口喎脣胗，頸腫喉痺，大腹水腫，膝臏腫痛，循膺乳氣街股伏兎骭外廉足跗上皆痛，中指不用。氣盛則身以前皆熱，其有餘于胃，則消穀善飢，溺色黃。氣不足則身以前皆寒慄，胃中寒則脹滿。為此諸病，盛則瀉之，虛則補之，熱則疾之，寒則留之，陷下則灸之，不盛不虛，以經取之。盛者人迎大三倍于寸口，虛者人迎反小于寸口也。

脾足太陰之脈，起于大指之端

循指内側白肉際過核骨後上内踝前廉上踹内循胻骨後交
出厥陰之前上膝股内前廉入腹屬脾絡胃上膈挾咽連舌本
散舌下其支者復從胃別上膈注心中是動則病舌本強食則
嘔胃脘痛腹脹善噫得後與氣則快然如衰身體皆重是主脾
所生病者舌本痛體不能動揺食不下煩心心下急痛溏瘕泄
水閉黄疸不能卧強立股膝内腫厥足大指不用為此諸病盛
則寫之虚則補之熱則疾之寒則留之陷下則灸之不盛不虚
以經取之盛者寸口大三倍于人迎虚者寸口反小于人迎也
心手少陰之脉起于心中出屬心系下膈絡小腸其支者從心
系上挾咽繫目系其直者復從心系却上肺下出腋下循臑
内後廉行太陰心主之後下肘内循臂内後廉抵掌後兌骨之
端入掌内後廉循小指之内出其端是動則病嗌乾心痛渴而
欲飲是為臂厥是主心所生病者目黄脇痛臑臂内後廉痛厥
掌中熱痛為此諸病盛則寫之虚則補之熱則疾之寒則留之

陷下則灸之不盛不虛以經取之盛者寸口大再倍於人迎虛者寸口反小于人迎也　小腸手太陽之脉起于小指之端循手外側上腕出踝中直上循臂骨下廉出肘内側兩筋之間上循臑外後廉出肩解繞肩胛交肩上入缺盆絡心循咽下膈抵胃屬小腸其支者從缺盆循頸上頰至目銳眥却入耳中其支者別頰上䪼抵鼻至目内眥斜絡于顴是動則病嗌痛頷腫不可以顧肩似拔臑似折是主液所生病者耳聾目黃頰腫頸頷肩臑肘臂外後廉痛爲此諸病盛則寫之虛則補之熱則疾之寒則留之陷下則灸之不盛不虛以經取之盛者人迎大再倍于寸口虛者人迎反小于寸口也　膀胱足太陽之脉起于目内眥上額交巔其支者從巔至耳上角其直者從巔入絡腦還出別下項循肩髆内挾脊抵腰中入循膂絡腎屬膀胱其支者從腰中下挾脊貫臀入膕中其支者從髆内左右別下貫胛挾脊内過髀樞循髀外從後廉下合膕中以下貫踹内出外踝之

後循京骨至小指外側是動則病衝頭痛目似脫項如拔脊痛
腰似折髀不可以曲膕如結踹如裂是爲踝厥是主筋所生病
者痔瘧狂癲疾頭顖項痛目黃淚出鼽衄項背腰尻膕踹脚皆
痛小指不用爲此諸病盛則寫之虛則補之熱則疾之寒則留
之陷下則灸之不盛不虛以經取之盛者人迎大再倍于寸口
虛者人迎反小于寸口也　腎足少陰之脉起于小指之下邪
走足心出于然谷之下循内踝之後別入跟中以上踹内出膕
内廉上股内後廉貫脊屬腎絡膀胱其直者從腎上貫肝膈入
肺中循喉嚨挾舌本其支者從肺出絡心注胸中是動則病飢
不欲食面如漆柴欬唾則有血喝喝而喘坐而欲起目䀮䀮如
無所見心如懸若飢狀氣不足則善恐心惕惕如人將捕之是
爲骨厥是主腎所生病者口熱舌乾咽腫上氣嗌乾及痛煩心
心痛黃疸腸澼脊股内後廉痛痿厥嗜卧足下熱而痛爲此諸
病盛則寫之虛則補之熱則疾之寒則留之陷下則灸之不盛

不虛以經取之灸則強食生肉緩帶被髮大杖重履而步盛者寸口大再倍于人迎虛者寸口反小于人迎也　心主手厥陰心包絡之脉起于胷中出屬心包絡下膈歷絡三焦其支者循胷出脇下腋三寸上抵腋下循臑內行太陰少陰之間入肘中下臂行兩筋之間入掌中循中指出其端其支者別掌中循小指次指出其端是動則病手心熱臂肘攣急腋腫甚則胷脇支滿心中憺憺大動面赤目黃喜笑不休是主脉所生病者煩心心痛掌中熱爲此諸病盛則寫之虛則補之熱則疾之寒則留之陷下則灸之不盛不虛以經取之盛者寸口大一倍于人迎虛者寸口反小于人迎也　三焦手少陽之脉起于小指次指之端上出兩指之間循手表腕出臂外兩骨之間上貫肘循臑外上肩而交出足少陽之後入缺盆布膻中散落心包下膈循屬三焦其支者從膻中上出缺盆上項繫耳後直上出耳上角以屈下頰至䪼其支者從耳後入耳中出走耳前過客主人前

交頰至目鋭眥是動則病耳聾渾渾焞焞嗌腫喉痺是主氣所生病者汗出目鋭眥痛頰痛耳後肩臑肘臂外皆痛小指次指不用爲此諸病盛則寫之虚則補之熱則疾之寒則留之陷下則灸之不盛不虚以經取之盛者人迎大一倍于寸口虚者人迎反小于寸口也

膽足少陽之脉起于目鋭眥上抵頭角下耳後循頸行手少陽之前至肩上却交出手少陽之後入缺盆其支者從耳後入耳中出走耳前至目鋭眥後其支者别鋭眥下大迎合于手少陽抵于䪼下加頰車下頸合缺盆以下胷中貫膈絡肝屬膽循脇裏出氣街繞毛際横入髀厭中其直者從缺盆下腋循胷過季脇下合髀厭中以下循髀陽出膝外廉下外輔骨之前直下抵絶骨之端下出外踝之前循足跗上入小指次指之間其支者别跗上入大指之間循大指歧骨内出其端還貫爪甲出三毛是動則病口苦善大息心脇痛不能轉側甚則面微有塵體無膏澤足外反熱是爲陽厥是主骨所生病

者頭痛頷痛目銳眥痛缺盆中腫痛腋下腫馬刀俠癭汗出振寒瘧胸脇肋髀膝外至脛絕骨外踝前及諸節皆痛小指次指不用爲此諸病盛則寫之虛則補之熱則疾之寒則留之陷下則灸之不盛不虛以經取之盛者人迎大一倍于寸口虛者人迎反小于寸口也　肝足厥陰之脉起于大指叢毛之際上循足跗上廉去内踝一寸上踝八寸交出太陰之後上膕内廉循股陰入毛中過陰器抵小腹挾胃屬肝絡膽上貫膈布脇肋循喉嚨之後上入頏顙連目系上出額與督脉會于巔其支者從目系下頰裏環唇内其支者復從肝别貫膈上注肺是動則病腰痛不可以俛仰丈夫㿗疝婦人少腹腫甚則嗌乾面塵脫色是肝所生病者胸滿嘔逆飧泄狐疝遺溺閉癃爲此諸病盛則寫之虛則補之熱則疾之寒則留之陷下則灸之不盛不虛以經取之盛者寸口大一倍于人迎虛者寸口反小于人迎也

手太陰氣絕則皮毛焦太陰者行氣温于皮毛者也故氣不榮

則皮毛焦皮毛焦則津液去皮節津液去皮節者則爪枯毛折
毛折者則毛先死丙篤丁死火勝金也　手少陰氣絶則脉不
通脉不通則血不流血不流則髦色不澤故其面黑如漆柴者
血先死壬篤癸死水勝火也　足太陰氣絶者則脉不榮肌肉
唇舌者肌肉之本也脉不榮則肌肉軟肌肉軟則舌萎人中滿
人中滿則唇反唇反者肉先死甲篤乙死木勝土也　足少陰
氣絶則骨枯少陰者冬脉也伏行而濡骨髓者也故骨不濡則
肉不能著也骨肉不相親則肉軟却肉軟却故齒長而垢髮無
澤髮無澤者骨先死戊篤己死土勝水也　足厥陰氣絶則筋
絶厥陰者肝脉也肝者筋之合也筋者聚于陰氣而脉絡于舌
本也故脉弗榮則筋急筋急則引舌與卵故唇青舌卷卵縮則
筋先死庚篤辛死金勝木也　五陰氣俱絶則目系轉轉則目運
目運者為志先死志先死則遠一日半死矣　六陽氣絶則陰與
陽相離離則腠理發泄絶汗乃出故旦占夕死夕占旦死經脉

十二者伏行分肉之間深而不見其常見者足太陰過于外踝
之上無所隱故也諸脈之浮而常見者皆絡脈也六經絡手陽
明少陽之大絡起于五指間上合肘中飲酒者衛氣先行皮膚
先充絡脈絡脈先盛故衛氣已平營氣乃滿而經脈大盛脈之
卒然動者皆邪氣居之留于本末不動則熱不堅則陷且空不
與衆同是以知其何脈之動也雷公曰何以知經脈之與絡脈
異也黃帝曰經脈者常不可見也其虛實也以氣口知之脈之
見者皆絡脈也雷公曰細子無以明其然也黃帝曰諸絡脈皆
不能經大節之間必行絕道而出入復合于皮中其會皆見于
外故諸刺絡脈者必刺其結上甚血者雖無結急取之以寫其
邪而出其血留之發為痺也凡診絡脈脈色青則寒且痛赤則
有熱胃中寒手魚之絡多青矣胃中有熱魚際絡赤其暴黑者
留久痺也其有赤有黑有青者寒熱氣也其青短者少氣也凡
刺寒熱者皆多血絡必間日而一取之血盡而止乃調其虛實

其小而短者少氣甚者寫之則悶悶甚則仆不得言悶則急坐
之也　手太陰之別名曰列缺起于腕上分間並太陰之經直
入掌中散入于魚際其病實則手鋭掌熱虛則欠款小便遺數
取之去腕半寸別走陽明也　手少陰之別名曰通里去腕一
寸半別而上行循經入于心中繫舌本屬目系其實則支膈虛
則不能言取之掌後一寸別走太陽也手心主之別名曰內關
去腕二寸出于兩筋之間循經以上繫于心包絡心系實則心
痛虛則爲頭強取之兩筋間也　手太陽之別名曰支正上腕
五寸內注少陰其別者上走肘絡肩髃實則節弛肘廢虛則生
肬小者如指痂疥取之所別也　手陽明之別名曰偏歷去腕
三寸別入太陰其別者上循臂乘肩髃上曲頰偏齒其別者入
百合于宗脉實則齲聾虛則齒寒痹隔取之所別也　手少陽
之別名曰外關去腕二寸外遶臂注胷中合心主病實則肘攣
虛則不收取之所別也　足太陽之別名曰飛陽去踝七寸別

走少陰實則鼽窒頭背痛虛則鼽衄取之所別也　足少陽之
別名曰光明去踝五寸別走厥陰下絡足跗實則厥虛則痿躄
坐不能起取之所別也　足陽明之別名曰豐隆去踝八寸別
走太陰其別者循脛骨外廉上絡頭項合諸經之氣下絡喉嗌
其病氣逆則喉痹瘁瘖實則狂巔虛則足不收脛枯取之所別
也　足太陰之別名曰公孫去本節之後一寸別走陽明其別
者入絡腸胃厥氣上逆則霍亂實則腸中切痛虛則鼓脹取之
所別也　足少陰之別名曰大鍾當踝後繞跟別走太陽其別
者并經上走于心包下外貫腰脊其病氣逆則煩悶實則閉癃
虛則腰痛取之所別者也　足厥陰之別名曰蠡溝去內踝五
寸別走少陽其別者經脛上睾結于莖其病氣逆則睾腫卒疝
實則挺長虛則暴癢取之所別也　任脈之別名曰尾翳下鳩
尾散于腹實則腹皮痛虛則癢搔取之所別也　督脈之別名
曰長強挾膂上項散頭上下當肩胛左右別走太陽入貫膂實

則脊強虛則頭重高搖之挾脊之有過者取之所別也　脾之大絡名曰大包出淵腋下三寸布胸脇實則身盡痛虛則百節盡皆縱此脉若羅絡之血者皆取之脾之大絡脉也凡此十五絡者實則必見虛則必下視之不見求之上下人經不同絡脉異所別也

膂音呂頞妨劣髀音干骭音憺憺音淡邪局焞焞朏肮音

○經別第十一

黃帝問于岐伯曰余聞人之合于天道也內有五藏以應五音五色五時五味五位也外有六府以應六律六律建陰陽諸經而合之十二月十二辰十二節十二經水十二時十二經脉者此五藏六府之所以應天道夫十二經脉者人之所以生病之所以成人之所以治病之所以起學之所始工之所止也粗之所易上之所難也請問其離合出入柰何岐伯稽首再拜曰明乎哉問也此粗之所過上之所息也請卒言之足太陽之正別

入于膕中其一道下尻五寸別入于肛屬于膀胱散之腎循膂當心入散直者從膂上出于項復屬于太陽此爲一經也　足少陰之正至膕中別走太陽而合上至腎當十四顀出屬帶脈直者繫舌本復出于項合于太陽此爲一合成以諸陰之別皆爲正也　足少陽之正繞髀入毛際合于厥陰別者入季脇之間循胷裏屬膽散之上肝貫心以上挾咽出頤頷中散于面繫目系合少陽于外眥也　足厥陰之正別跗上上至毛際合于少陽與別俱行此爲二合也　足陽明之正上至髀入于腹裏屬胃散之脾上通于心上循咽出于口上頞䪼還繫目系合于陽明也　足太陰之正上至髀合于陽明與別俱行上結于咽貫舌中此爲三合也　手太陽之正指地別于肩解入腋走心繫小腸也　手少陰之正別入于淵腋兩筋之間屬于心上走喉嚨出于面合目內眥此爲四合也　手少陽之正指天別于巔入缺盆下走三焦散于胷中也　手心主之正別下淵腋三

寸入胷中別屬三焦出循喉嚨出耳後合少陽完骨之下此爲五合也　手陽明之正從手循膺乳別于肩髃入柱骨下走大腸屬于肺上循喉嚨出缺盆合于陽明也　手太陰之正別入淵腋少陰之前入走肺散之太陽上出缺盆循喉嚨復合陽明此六合也

死姊柿毛切　肛胡公切　頤頷下以之切

○經水第十二

黃帝問于岐伯曰經脉十二者外合于十二經水而内屬于五藏六府夫十二經水者其有大小深淺廣狹遠近各不同五藏六府之高下小大受穀之多少亦不等相應柰何夫經水者受水而行之五藏者合神氣魂魄而藏之六府者受穀而行之受氣而揚之經脉者受血而營之合而以治柰何刺之深淺灸之壯數可得聞乎岐伯荅曰善哉問也天至高不可度地至廣不可量此之謂也且夫人生于天地之間六合之内此天之高地

之廣也非人力之所能度量而至也若夫八尺之士皮肉在此外可度量切循而得之其死可解剖而視之其藏之堅脆府之大小穀之多少脈之長短血之清濁氣之多少十二經之多血少氣與其少血多氣與其皆多血氣與其皆少血氣皆有大數其治以鍼艾各調其經氣固其常有合乎黃帝曰余聞之快于耳不解于心願卒聞之岐伯荅曰此人之所以參天地而應陰陽也不可不察

足太陽外合于清水內屬于膀胱而通水道焉

足少陽外合于渭水內屬于膽

足陽明外合于海水內屬于胃

足太陰外合于湖水內屬于脾

足少陰外合于汝水內屬于腎

足厥陰外合于澠水內屬于肝

手太陽外合于淮水內屬于小腸而水道出焉

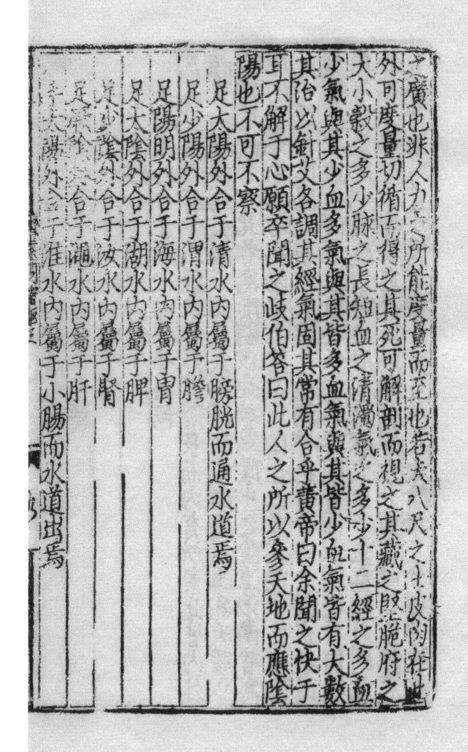

手少陽外合于漯水内屬于三焦
手陽明外合于江水内屬于大腸
手太陰外合于河水内屬于肺
手少陰外合于濟水内屬于心
手心主外合于漳水内屬于心包
凡此五藏六府十二經水者外有源泉而内有所禀此皆内外相貫如環無端人經亦然故天爲陽地爲陰腰以上爲天腰以下爲地故海以北者爲陰湖以北者爲陰中之陰漳以南者爲陽河以北至漳者爲陽中之陰漯以南至江者爲陽中之太陽此一隅之陰陽也所以人與天地相參也黄帝曰夫經水之應經脉也其遠近淺深水血之多少各不同合而以刺之奈何岐伯荅曰足陽明五藏六府之海也其脉大血多氣盛熱壯刺此者不深弗散不留不寫也足陽明刺深六分留十呼足太陽深五分留七呼足少陽深四分留五呼足太陰深三分留四呼足

少陰深二分留三呼足厥陰深一分留一呼手之陰陽其受氣之道近其氣之來疾其刺深者皆無過二分其留皆無過一呼其少長大小肥瘦以心撩之命曰法天之常灸之亦然灸而過此者得惡火則骨枯脈濇刺而過此者則脫氣黃帝曰夫經脈之小大血之多少膚之厚薄肉之堅脆及膕之大小可為量度乎岐伯答曰其可為度量者取其中度也不甚脫肉而血氣不衰也若夫度之人痟瘦而形肉脫者惡可以度量刺乎審切循捫按視其寒溫盛衰而調之是謂因適而為之真也

濇音澀　膕音國　撩音遼治也　以心撩之一本作料度之

黃帝素問靈樞集註卷之三

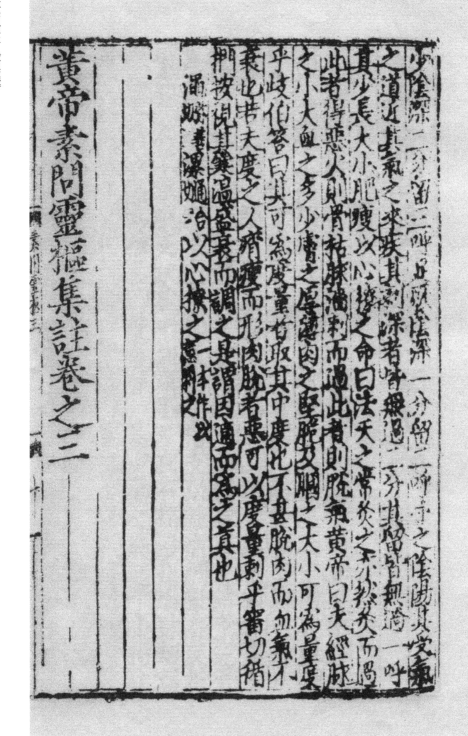

黃帝素問靈樞集註卷之四

○經筋第十三

足太陽之筋起于足小指上結于踝邪上結于膝其下循足外側結于踵上循跟結於膕其別者結于踹外上膕中內廉與膕中并上結于臀上挾脊上項其支者別入結於舌本其直者結于枕骨上頭下顏結于鼻其支者為目上網下結于頄其支者從腋後外廉結于肩髃其支者入腋下上出缺盆上結于完骨其支者出缺盆邪上出于頄其病小指支跟腫痛膕攣脊反折項筋急肩不舉腋支缺盆中紐痛不可左右搖治在燔針刼刺以知為數以痛為輸名曰仲春痺　足少陽之筋起于小指次指上結外踝上循脛外廉結于膝外廉其支者別起外輔骨上走髀前者結于伏兔之上後者結于尻其直者上乘䏚季脇上走腋前廉繫于膺乳結于缺盆直者上出腋貫缺盆出太陽之

前循耳後上額角交巔上下走頷上結于頄支者結于目眥為
外維其病小指次指支轉筋引膝外轉筋膝不可屈伸膕筋急
前引髀後引尻即上乘𦟌季脇痛上引缺盆膺乳頸維筋急從
左之右右目不開上過右角並蹻脉而行左絡于右故傷左角
右足不用命曰維筋相交治在燔針劫刺以知為數以痛為輸
名曰孟春痺也　足陽明之筋起于中三指結于跗上邪外上
加于輔骨上結于膝外廉直上結于髀樞上循脇屬脊其直者
上循骭結于　其支者結于外輔骨合少陽其直者上循伏兔
上結于髀聚于陰器上腹而布至缺盆而結上頸上挾口合于
頄下結于鼻上合于太陽太陽為目上網陽明為目下網其支
者從頰結于耳前其病足中指支脛轉筋脚跳堅伏兔轉筋髀
前腫㿗疝腹筋急引缺盆及頰卒口僻急者目不合熱則筋縱
目不開頰筋有寒則急引頰移口有熱則筋弛縱緩不勝收故
僻治之以馬膏膏其急者以白酒和桂以塗其緩者以桑鉤鉤

之即以生桑灰置之坎中高下以坐等以膏熨急頰且飲美酒噉美炙肉不飲酒者自強也為之三拊而已治在燔針劫刺以知為數以痛為輸名曰季春痺也

足太陰之筋起于大指之端內側上結于內踝其直者絡于膝內輔骨上循陰股結于髀聚于陰器上腹結于臍循腹裏結于肋散于胸中其內者著于脊其病足大指支內踝痛轉筋痛膝內輔骨痛陰股引髀而痛陰器紐痛下引臍兩脇痛引膺中脊內痛治在燔針劫刺以知為數以痛為輸命曰孟秋痺也

足少陰之筋起于小指之下並足太陰之筋邪走內踝之下結于踵與太陽之筋合而上結于內輔之下並太陰之筋而上循陰股結于陰器循脊內挾膂上至項結于枕骨與足太陽之筋合其病足下轉筋及所過而結者皆痛及轉筋病在此者主癇瘈及痙在外者不能俛在內者不能仰故陽病者腰反折不能俛陰病者不能仰治在燔針劫刺以知為數以痛為輸在內者熨引飲藥此筋折紐紐發數

甚者死不治名曰仲秋痹也　足厥陰之筋起于大指之上上
結于内踝之前上循脛上結内輔之下上循陰股結于陰器絡
諸筋其病足大指支内踝之前痛内輔痛陰股痛轉筋陰器不
用傷於内則不起傷於寒則陰縮入傷於熱則縱挺不收治在
行水清陰氣其病轉筋者治在燔鍼劫刺以知爲數以痛爲輸
命曰季秋痹也　手太陽之筋起于小指之上結于腕上循臂
内廉結于肘内鋭骨之後彈之應小指之上入結于腋下其支
者後走腋後廉上繞肩胛循頸出走太陽之前結于耳後完骨
其支者入耳中直者出耳上下結于頷上屬目外眥其病小指
支肘内鋭骨後廉痛循臂陰入腋下腋下痛腋後廉痛繞肩胛
引頸而痛應耳中鳴痛引頷目瞑良久乃得視頸筋急則爲筋
瘻頸腫寒熱在頸者治在燔鍼劫刺之以知爲數以痛爲輸其
爲腫者復而鋭之本支者上曲牙循耳前屬目外眥上頷結于
角其痛當所過者支轉筋治在燔鍼劫刺以知爲數以痛爲輸

名曰仲夏痹也　手少陽之筋起于小指次指之端結于腕上循臂結于肘上繞臑外廉上肩走頸合手太陽其支者當曲頰入繫舌本其支者上曲牙循耳前屬目外眥上乘頷結于角其病當所過者即支轉筋舌卷治在燔針劫刺以知爲數以痛爲輸名曰季夏痹也　手陽明之筋起于大指次指之端結于腕上循臂上結于肘外上臑結于髃其支者繞肩胛挾脊直者從肩髃上頸其支者上頰結于頄直者上出手太陽之前上左角絡頭下右頷其病當所過者支痛及轉筋肩不舉頸不可左右視治在燔針劫刺以知爲數以痛爲輸名曰孟夏痹也　手太陰之筋起于大指之上循指上行結于魚後行寸口外側上循臂結肘中上臑內廉入腋下出缺盆結肩前髃上結缺盆下結胷裏散貫賁合賁下抵季脇其病當所過者支轉筋痛甚成息賁脇急吐血治在燔針劫刺以知爲數以痛爲輸名曰仲冬痹也　手心主之筋起于中指與太陰之筋並行結于肘內廉上

臂陰結腋下下散俞後挾脇其支者入腋散胷中結于臂其病當所過者支轉筋前及胷痛息賁治在燔針劫刺以知爲數以痛爲輸名曰孟冬痹也　手少陰之筋起于小指之内側結于銳骨上結肘内廉上入腋交太陰挾乳裏結于胷中循臂下繫于臍其病内急心承伏梁下爲肘網其病當所過者支轉筋筋痛治在燔針劫刺以知爲數以痛爲輸其成伏梁唾血膿者死不治經筋之病寒則反折筋急熱則筋弛縱不收陰痿不用陽急則反折陰急則俛不伸焠刺者刺寒急也熱則筋縱不收無用燔針名曰季冬痹也　足之陽明手之太陽筋急則口目爲噼眥急不能卒視治皆如右方也　［遒］音求

○骨度第十四

黄帝問于伯高曰脉度言經脉之長短何以立之伯高曰先度其骨節之大小廣狹長短而脉度定矣黄帝曰願聞衆人之度人長七尺五寸者其骨節之大小長短各幾何伯高曰頭之大

骨圍二尺六寸胸圍四尺五寸腰圍四尺二寸髮所覆者顱至
項尺二寸髮以下至頤長一尺君子終折結喉以下至缺盆中
長四寸缺盆以下至𩨗骭長九寸過則肺大不滿則肺小𩨗骭
以下至天樞長八寸過則胃大不及則胃小天樞以下至横骨
長六寸半過則廻腸廣長不滿則狹短横骨長六寸半横骨上
廉以下至内輔之上廉長一尺八寸内輔之上廉以下至下廉
長三寸半内輔下廉下至内踝長一尺三寸内踝以下至地長
三寸膝膕以下至跗屬長一尺六寸跗屬以下至地長三寸故
骨圍大則大過小則不及角以下至柱骨長一尺行腋中不見
者長四寸腋以下至季脇長一尺二寸季脇以下至髀樞長六
寸髀樞以下至膝中長一尺九寸膝以下至外踝長一尺六寸
外踝以下至京骨長三寸京骨以下至地長一寸耳後當完骨
者廣九寸耳前當耳門者廣一尺三寸兩顴之間相去七寸兩
乳之間廣九寸半兩髀之間廣六寸半足長一尺二寸廣四寸

也肩至肘長一尺七寸肘至腕長一尺二寸半腕至中指本節長四寸本節至其末長四寸半項髮以下至背骨長二寸半膂骨以下至尾骶二十一節長三尺上節長一寸四分分之一奇分在下故上七節至于膂骨九寸八分分之七此衆人骨之度也所以立經脉之長短也是故視其經脉之在于身也其見浮而堅其見明而大者多血細而沉者多氣也

髃骨音上許曷切下許穢切骨後音下云肩骨縫也

○五十營第十五

黃帝曰余願聞五十營奈何岐伯答曰天周二十八宿宿三十六分人氣行一周千八分日行二十八宿人經脉上下左右前後二十八脉周身十六丈二尺以應二十八宿漏水下百刻以分晝夜故人一呼脉再動氣行三寸一吸脉亦再動氣行三寸呼吸定息氣行六寸十息氣行六尺日行二分二百七十息氣行十六丈二尺氣行交通于中一周于身下水二刻日行二十

五分五百四十息氣行再周于身下水四刻日行四十分二千七百息氣行十周于身下水二十刻日行五宿二十分一萬三千五百息氣行五十營于身水下百刻日行二十八宿漏水皆盡脉終矣所謂交通者并行一數也故五十營備得盡天地之壽矣凡行八百一十丈也

營氣第十六

黃帝曰營氣之道內穀為寶穀入于胃乃傳之肺流溢于中布散于外精專者行于經隧常營無已終而復始是謂天地之紀故氣從太陰出注手陽明上行注足陽明下行至跗上注大指間與太陰合上行抵髀從脾注心中循手少陰出腋下臂注小指合手太陽上行乘腋出䪼內注目內眥上巔下項合足太陽循脊下尻下行注小指之端循足心注足少陰上行注腎從腎注心外散于胸中循心主脉出腋下臂出兩筋之間入掌中出中指之端還注小指次指之端合手少陽上行注膻中散于三

焦從三焦注膽出脇注足少陽下行至跗上復從跗注大指間
合足厥陰上行至肝從肝上注肺上循喉嚨入頏顙之竅究于
畜門其支別者上額循巔下項中循脊入骶是督脈也絡陰器
上過毛中入臍中上循腹裏入缺盆下注肺中復出太陰此營
氣之所行也逆順之常也

○脉度第十七

黃帝曰願聞脉度岐伯答曰手之六陽從手至頭長五尺五六
三丈手之六陰從手至胷中三尺五寸三六一丈八尺五六三
尺合二丈一尺足之六陽從足上至頭八尺六八四丈八尺足
之六陰從足至胷中六尺五寸六六三丈六尺五六三尺合三
丈九尺蹻脉從足至目七尺五寸二七一丈四尺二五一尺合
一丈五尺督脉任脉各四尺五寸二四八尺二五一尺合九尺
凡都合一十六丈二尺此氣之大經隧也經脉爲裏支而横者
爲絡絡之別者爲孫盛而血者疾誅之盛者寫之虚者飲藥以

補之五藏常內閱於上七竅也故肺氣通於鼻肺和則鼻能知臭香矣心氣通於舌心和則舌能知五味矣肝氣通于目肝和則目能辨五色矣脾氣通于口脾和則口能知五穀矣腎氣通于耳腎和則耳能聞五音矣五藏不和則七竅不通六府不和則留爲癰故邪在府則陽脉不和陽脉不利則氣留之氣留之則陽氣盛矣陽氣大盛則陰不利陰脉不利則血留之血留之則陰氣盛矣陰氣大盛則陽氣不能榮也故曰關陽氣大盛則陰氣弗能榮也故曰格陰陽俱盛不得相榮故曰關格關格者不得盡期而死也黄帝曰蹻脉安起安止何氣榮水岐伯答曰蹻脉者少陰之別起于然骨之後上內踝之上直上循陰股入陰上循胷裏入缺盆上出人迎之前入頄屬目內眥合于太陽陽蹻而上行氣并相還則爲濡目氣不榮則目不合黄帝曰氣獨行五藏不榮六府何也岐伯答曰氣之不得無行也如水之流如日月之行不休故陰脉榮其藏陽脉榮其府如環之無端

莫知其紀終而復始其流溢之氣内溉藏府外濡腠理黃帝曰蹻脉有陰陽何脉當其數岐伯答曰男子數其陽女子數其陰當數者爲經其不當數者爲絡也

蹻脉渠略切又音橋經隧音遂

○營衛生會第十八

黃帝問于岐伯曰人焉受氣陰陽焉會何氣爲營何氣爲衛營安從生衛于焉會老壯不同氣陰陽異位願聞其會岐伯答曰人受氣于穀穀入于胃以傳與肺五藏六府皆以受氣其清者爲營濁者爲衛營在脉中衛在脉外營周不休五十而復大會陰陽相貫如環無端衛氣行于陰二十五度行于陽二十五度分爲晝夜故氣至陽而起至陰而止故曰日中而陽隴爲重陽夜半而陰隴爲重陰故太陰主内太陽主外各行二十五度分爲晝夜夜半爲陰隴夜半後而爲陰衰平旦陰盡而陽受氣矣日中而陽隴日西而陽衰日入陽盡而陰受氣矣夜半而大會

萬民皆卧命曰合陰平旦陰盡而陽受氣如是無已與天地同
紀黃帝曰老人之不夜瞑者何氣使然少壯之人不晝瞑者何
氣使然岐伯答曰壯者之氣血盛其肌肉滑氣道通營衛之行
不失其常故晝精而夜瞑老者之氣血衰其肌肉枯氣道澀五
藏之氣相搏其營氣衰少而衛氣內伐故晝不精夜不瞑黃帝
曰願聞營衛之所行皆何道從來岐伯答曰營出于中焦衛出
于下焦黃帝曰願聞三焦之所出岐伯答曰上焦出于胃上口
並咽以上貫膈而布胷中走腋循太陰之分而行還至陽明上
至舌下足陽明常與營俱行于陽二十五度行于陰亦二十五
度一周也故五十度而復大會于手太陰矣黃帝曰人有熱飲
食下胃其氣未定汗則出或出于面或出于背或出于身半其
不循衛氣之道而出何也岐伯曰此外傷于風內開腠理毛蒸
理泄衛氣走之固不得循其道此氣慓悍滑疾見開而出故不
得從其道故命曰漏泄黃帝曰願聞中焦之所出岐伯答曰中

焦亦並胃中出上焦之後此所受氣者泌糟粕蒸津液化其精
微上注於肺脈乃化而為血以奉生身莫貴于此故獨得行于
經隧命曰營氣黃帝曰夫血之與氣異名同類何謂也岐伯答
曰營衛者精氣也血者神氣也故血之與氣異名同類焉故奪
血者無汗奪汗者無血故人生有兩死而無兩生黃帝曰願聞
下焦之所出岐伯答曰下焦者別廻腸注于膀胱而滲入焉故
水穀者常并居于胃中成糟粕而俱下于大腸而成下焦滲而
俱下濟泌別汁循下焦而滲入膀胱焉黃帝曰人飲酒酒亦入
胃穀未熟而小便獨先下何也岐伯答曰酒者熟穀之液也其
氣悍以清故後穀而入先穀而液出焉黃帝曰善余聞上焦如
霧中焦如漚下焦如瀆此之謂也

○四時氣第十九

黃帝問于岐伯曰夫四時之氣各不同形百病之起皆有所生
灸刺之道何者為定（一本作宝）岐伯答曰四時之氣各有所在灸刺

之道得氣穴為定故春取經血脈分肉之間甚者深刺之間者
淺刺之夏取盛經孫絡取分間絕皮膚秋取經腧邪在府取之
合冬取井滎必深以留之溫瘧汗不出為五十九痏風𤸇膚脹
為五十七痏取皮膚之血者盡取之飧泄補三陰之上補陰陵
泉皆久留之熱行乃止轉筋于陽治其陽轉筋于陰治其陰皆
卒刺之徒𤸇先取環谷下三寸以鈹針針之已刺而筩之而內
之入而復之以盡其𤸇必堅來緩則煩悗來急則安靜間日一
刺之𤸇盡乃止飲閉藥方刺之時徒飲之方飲無食方食無飲
無食他食百三十五日著痹不去久寒不已卒取其三里骨為
幹腸中不便取三里盛寫之虛補之癘風者素刺其腫上已刺
以銳針針其處按出其惡氣腫盡乃止常食方食無食他食腹
中常鳴氣上衝胸喘不能久立邪在大腸刺肓之原巨虛上廉
三里小腹控睾引腰脊上衝心邪在小腸者連睾系屬于脊貫
肝肺絡心系氣盛則厥逆上衝腸胃燻肝散于肓結于臍故取

之肓原以散之刺太陰以予之取厥陰以下之取巨虛不廉以
去之按其所過之經以調之善嘔嘔有苦長太息心中憺憺恐
人將捕之邪在膽逆在胃膽液泄則口苦胃氣逆則嘔苦故曰
嘔膽取三里以下胃氣逆則刺少陽血絡以閉膽逆却調其虛
實以去其邪飲食不下膈塞不通邪在胃脘在上脘則刺抑而
下之在下脘則散而去之小腹痛腫不得小便邪在三焦約取
之太陽大絡視其絡脈與厥陰小絡結而血者腫上及胃脘取
三里覩其色察其以知其散復者視其目色以知病之存亡也
一其形聽其動靜者持氣口人迎以視其脈堅且盛且滑者病
日進脈軟者病將下諸經實者病三日已氣口候陰人迎候陽
也　○風痱妒類篇音同著瘅下上䶥髎切鍼鍼艾蜍蟾

黃帝素問靈樞集註卷之四

黃帝素問靈樞經註卷之五

○五邪第二十

邪在肺則病皮膚痛寒熱上氣喘汗出欬動肩背取之膺中外腧背三節五藏〔一本作五節〕之傍以手疾按之快然乃刺之取之缺盆中以越之邪在肝則兩脇中痛寒中惡血在內行善掣節時脚腫取之行間以引脇下補三里以溫胃中取血脉以散惡血取耳間青脉以去其掣邪在脾胃則病肌肉痛陽氣有餘陰氣不足則熱中善飢陽氣不足陰氣有餘則寒中腸鳴腹痛陰陽俱有餘若俱不足則有寒有熱皆調于三里邪在腎則病骨痛陰痺陰痺者按之而不得腹脹腰痛大便難肩背頸項痛時眩取之湧泉崑崙視有血者盡取之邪在心則病心痛喜悲時眩仆視有餘不足而調之其輸也

顀音椎

○寒熱病第二十一

皮寒熱者不可附席毛髮焦鼻槁腊不得汗取三陽之絡以補
手大陰肌寒熱者肌痛毛髮焦而唇槁腊不得汗取三陽于下
以去其血者補足大陰以出其汗骨寒熱者病無所安汗注不
休齒未槁取其少陰于陰股之絡齒已槁死不治骨厥亦然骨
痺舉節不用而痛汗注煩心取三陰一本作三陽之經補之身有所
傷血出多及中風寒若有所墮墜四支懈惰不收名曰體惰取
其小腹臍下三結交三結交者陽明大陰也臍下三寸關元也
厥痺者厥氣上及腹取陰陽之絡視主病也寫陽補陰經也頸
側之動脈人迎人迎足陽明也在嬰筋之前嬰筋之後手陽明
也名曰扶突次脈足少陽脈也名曰天牖次脈足大陽也名曰
天柱腋下動脈臂大陰也名曰天府陽迎頭痛胷滿不得息取
之人迎暴瘖氣鞕取扶突与舌本出血暴聾氣蒙耳目不明取
天牖暴攣癇眩足不任身取天柱暴癉內逆肝肺相搏血溢鼻
口取天府此為大腧五部臂陽明有入頄徧齒者名曰大迎下

齒齲取之臂惡寒補之不惡寒瀉之足太陽有入頄徧齒者名
曰角孫上齒齲取之在鼻與頄前方病之時其脈盛盛則瀉之
虛則補之一曰取之出鼻外足陽明有挾鼻入于面者名曰懸
顱屬口對入繫目本視有過者取之損有餘益不足反者益其
足太陽有通項入于腦者正屬目本名曰眼系頭目苦痛取之
在項中兩筋間入腦乃別陰蹻陽蹻陰陽相交陽入陰陰出陽
交于目銳眥陽氣盛則瞋目陰氣盛則瞑目熱厥取足太陰少
陽皆留之寒厥取足陽明少陰于足皆留之舌縱涎下煩悗取
足少陰振寒洒洒鼓頷不得汗出腹脹煩悗取手太陰刺虛者
刺其去也刺實者刺其來也春取絡脈夏取分腠秋取氣口冬
取經輸凡此四時各以時為齊絡脈治皮膚分腠治肌肉氣口
治筋脈經輸治骨髓五藏身有五部伏兔一腓二腓者腨也背
三五藏之腧四項五此五部有癰疽者死病始手臂者先取手
陽明太陰而汗出病始頭首者先取項太陽而汗出病始足脛

者先取足陽明而汗出臂大陰可汗出足陽明可汗出故取陰而汗出甚者止之于陽取陽而汗出甚者止之於陰凡刺之害中而不去則精泄不中而去則致氣精泄則病甚而恇致氣則生爲癰疽也

槁腊[illegible] [illegible]顑[illegible] 悗音悶 腓音肥

○癲狂第二十二

目眥外決于面者爲銳眥在内近鼻者爲内眥上爲外眥下爲内眥癲疾始生先不樂頭重痛視舉目赤甚作極已而煩心候之于顏取手大陽陽明大陰血變而止癲疾始作而引口啼呼喘悸者候之手陽明大陽左强者攻其右右强者攻其左血變而止癲疾始作先反僵因而脊痛候之足大陽陽明大陰手大陽血變而止治癲疾者常與之居察其所當取之處病至視之有過者寫之置其血于瓠壺之中至其發時血獨動矣不動灸窮骨二十壯窮骨者骶骨也骨癲疾者顑齒諸腧分肉皆滿而

骨居汗出煩悗嘔多沃沫氣下泄不治筋癲疾者身倦攣急大
刺項大經之大杼脈嘔多沃沫氣下泄不治脈癲疾者暴仆四
肢之脈皆脹而縱脈滿盡刺之出血不滿灸之挾項太陽灸帶
脈于腰相去三寸諸分肉本輸嘔多沃沫氣下泄不治癲疾者
疾發如狂者死不治狂始生先自悲也喜忘苦怒善恐者得之
憂飢治之取手太陰陽明血變而止及取足太陰陽明狂始發
少卧不飢自高賢也自辯智也自尊貴也善罵詈日夜不休治
之取手陽明太陽太陰舌下少陰視之盛者皆取之不盛釋之
也狂言驚善笑好歌樂妄行不休者得之大恐治之取手陽明
太陽太陰狂目妄見耳妄聞善呼者少氣之所生也治之取手
太陽太陰陽明足太陰頭兩顑狂者多食善見鬼神善笑而不
發于外者得之有所大喜治之取足太陰太陽陽明後取手太
陰太陽陽明狂而新發未應如此者先取曲泉左右動脈及盛
者見血有頃已不已以法取之灸骨骶二十壯風逆暴四肢腫

身漯漯唏然時寒飢則煩飽則善變取手大陰表裏足少陰陽明之經肉清取滎骨清取井經也厥厥逆爲病也足暴清胷若將裂腸若將以刀切之煩而不能食脉大小皆濇煖取足少陰清取足陽明清則補之溫則寫之厥逆腹脹滿腸鳴胷滿不得息取之下胷二脇欬而動手者與背腧以手按之立快者是也內閉不得溲刺足少陰大陽與骶上以長針氣逆則取其大陰陽明厥陰甚取少陰陽明動者之經也少氣身漯漯也言吸吸也骨痠體重懈惰不能動補足少陰短氣息短不屬動作氣索補足少陰去血絡也

倦攣上音灌　顑口感切黃趣切飢　唏許几切

○熱病第二十三

偏枯身偏不用而痛言不變志不亂病在分腠之間巨針取之益其不足損其有餘乃可復也痱之爲病也身無痛者四肢不收智亂不甚其言微知可治甚則不能言不可治也病先起于

陽後入于陰者先取其陽後取其陰浮而取之熱病三日而氣口靜人迎躁者取之諸陽五十九刺以寫其熱而出其汗實其陰以補其不足者身熱甚陰陽皆靜者勿刺也其可刺者急取之不汗出則泄所謂勿刺者有死徵也熱病七日八日脉口動喘而短作弦者急刺之汗且自出淺刺手大指間熱病七日八日脉微小病者溲血口中乾一日半而死脉代者一日死熱病已得汗出而脉尚躁喘且復熱勿刺膚喘甚者死熱病七日八日脉不躁躁不散數後三日中有汗三日不汗四日死未曾汗者勿腠刺之熱病先膚痛窒鼻充面取之皮以第一針五十九苛軫鼻索皮于肺不得索之火火者心也熱病先身濇倚而熱煩悗乾唇口嗌取之皮以第一針五十九膚脹口乾寒汗出索脉于心不得索之水水者腎也熱病嗌乾多飲善驚卧不能起取之膚肉以第六針五十九目眥青索肉于脾不得索之木木者肝也熱病面青腦痛手足躁取之筋間以第四針于四逆筋

躄目浸索筋于肝不得索之金金者肺也熱病數驚瘈瘲而狂
取之脉以第四針急寫有餘者癲疾毛髮去索血于心不得索
之水水者腎也熱病身重骨痛耳聾而好瞑取之骨以第四針
五十九刺骨病不食齧齒耳青索骨于腎不得索之土土者脾
也熱病不知所痛耳聾不能自收口乾陽熱甚陰頗有寒者熱
在髓死不可治熱病頭痛顳顬目瘈脉痛善衄厥熱病也取之
以第三針視有餘不足寒熱痔熱病體重腸中熱取之以第四
針於其腧及下諸指間索氣于胃胳得氣也熱病挾臍急痛胸
脇滿取之湧泉與陰陵泉取以第四針針嗌裏熱病而汗且出
及脉順可汗者取之魚際大淵大都太白寫之則熱去補之則
汗出汗出大甚取内踝上橫脉以止之熱病已得汗而脉尚躁
盛此陰脉之極也死其得汗而脉靜者生熱病者脉尚盛躁而
不得汗者此陽脉之極也死脉盛躁得汗靜者生熱病不可刺
者有九一曰汗不出大顴發赤噦者死二曰泄而腹滿甚者死

三曰目不明熱不已者死四曰老人嬰兒熱而腹滿者死五曰汗不出嘔下血者死六曰舌本爛熱不已者死七曰欬而衄汗不出出不至足者死八曰髓熱者死九曰熱而痙者死腰折瘛瘲齒噤齘也凡此九者不可刺也所謂五十九刺者兩手外內側各三凡十二痏五指間各一凡八痏足亦如是頭入髮一寸傍三分各三凡六痏更入髮三寸邊五凡十痏耳前後口下者各一項中一凡六痏巔上一顖會一髮際一廉泉一風池二天柱二氣滿胷中喘息取足太陰大指之端去爪甲如薤葉寒則留之熱則疾之氣下乃止心疝暴痛取足太陰厥陰盡刺去其血絡喉痺舌卷口中乾煩心心痛臂內廉痛不可及頭取手小指次指爪甲下去端如韭葉目中赤痛從內眥始取之陰蹻風痙身反折先取足太陽及膕中及血絡出血中有寒取三里癃取之陰蹻及三毛上及血絡出血男子如蠱女子如怚身体腰脊如解不欲飲食先取湧泉見血視跗上盛者盡見血也

痱音肥 瘛尺制切 噤巨禁切 齘音介

○厥病第二十四

厥頭痛面若腫起而煩心取之足陽明太陰厥頭痛頭脉痛心悲善泣視頭動脉反盛者刺盡去血後調足厥陰厥頭痛貞貞頭重而痛寫頭上五行行五先取手少陰後取足少陰厥頭痛意善忘按之不得取頭面左右動脉後取足太陰厥頭痛項先痛腰脊為應先取天柱後取足太陽厥頭痛頭痛甚耳前後脉湧有熱(有一本云動脉)寫出其血後取足少陽眞頭痛頭痛甚腦盡痛手足寒至節死不治頭痛不可取于腧者有所擊墮惡血在于內若肉傷痛未已可則刺不可遠取也頭痛不可刺者大痺為惡日作者可令少愈不可已頭半寒痛先取手少陽陽明後取足少陽陽明厥心痛與背相控善瘈如從後觸其心傴僂者腎心痛也先取京骨崑崙發針不已取然谷厥心痛腹脹胸滿心尤痛甚胃心痛也取之大都大白厥心痛痛如以錐針刺其心

心痛甚者脾心痛也取之然谷大谿厥心痛色蒼蒼如死狀終日不得大息肝心痛也取之行間大衝厥心痛臥若徒居心痛間動作痛益甚色不變肺心痛也取之魚際大淵真心痛手足清至節心痛甚旦發夕死夕發旦死心痛不可刺者中有盛聚不可取于腧腸中有虫瘕及蛟蛕皆不可取以小針心腸痛憹作痛腫聚往來上下行痛有休止腹熱喜渴涎出者是蛟蛕也以手聚按而堅持之無令得移以大針刺之久持之虫不動乃出針也悉腹憹痛形中上者耳聾無聞取耳中耳鳴取耳前動脉耳痛不可刺者耳中有膿若有乾耵聹耳無聞也耳聾取手小指次指爪甲上與肉交者先取手後取足耳鳴取手中指爪甲上左取右右取左先取手後取足足髀不可舉側而取之在樞合中以員利針大針不可刺病注下血取曲泉風痺淫濼病不可已者足如履氷時如入湯中股脛淫濼煩心頭痛時嘔時悗眩已汗出久則目眩悲以喜恐短氣不樂不出三年死也

貞貞都耕切 憹乃老切 惹音貞 耵聹上都頂切下乃頂切耳中垢也

○病本第二十五

先病而後逆者治其本先逆而後病者治其本先寒而後生病者治其本先病而後生寒者治其本先熱而後生病者治其本先泄而後生他病者治其本必且調之乃治其他病先病而後中滿者治其標先病後泄者治其本先中滿而後煩心者治其本有客氣有同氣大小便不利治其標大小便利治其本病發而有餘本而標之先治其本後治其標病發而不足標而本之先治其標後治其本謹詳察間甚以意調之間者并行甚爲獨行先小大便不利而後生他病者治其本也

○雜病第二十六

厥挾脊而痛者至頂頭沈沈然目䀮䀮然腰脊強取足太陽膕中血絡厥胷滿面腫脣漯漯然暴言難甚則不能言取足陽明厥氣走喉而不能言手足清大便不利取足少陰厥而腹嚮嚮

然多寒氣腹中穀穀便溲難取足大陰嗌乾口中熱如膠取足
少陰膝中痛取犢鼻以員利鍼發而間之鍼大如氂刺膝無疑
喉痺不能言取足陽明能言取手陽明瘧不渴間日而作取足
陽明渴而日作取手陽明齒痛不惡清飲取足陽明惡清飲取
手陽明聾而不痛者取足少陽聾而痛者取手陽明衄而不止
衃血流取足大陽衃血取手大陽不已刺宛骨下不已刺膕中
出血腰痛痛上寒取足大陽陽明痛上熱取足厥陰不可以俛
仰取足少陽中熱而喘取足少陰膕中血絡喜怒而不欲食言
益小刺足大陰怒而多言刺足少陽顑痛刺手陽明與顑之盛
脉出血項痛不可俛仰刺足大陽不可以顧刺手大陽也小腹
滿大上走胃至心淅淅身時寒熱小便不利取足厥陰腹滿大
便不利腹大亦上走胸嗌喘息喝喝然取足少陰腹滿食不化
腹嚮嚮然不能大便取足大陰心痛引腰脊欲嘔取足少陰心
痛腹脹嗇嗇然大便不利取足大陰心痛引背不得息刺足少

陰尺不已取手少陽心痛引小腹滿上下無常處便溲難刺足厥
陰心痛但短氣不足以息刺手太陰心痛當九節次之按已刺
按之立已不已上下求之得之立已顱痛刺足陽明曲周動脈
見血立已不已按人迎于經立已氣逆上刺膺中陷者與下胷
動脈腹痛刺臍左右動脈已刺按之立已不已刺氣街已刺按
之立已痿厥為四末束悗乃疾解之日二不仁者十日而知無
休病已止噦以草刺鼻嚏嚏而已無息而疾迎引之立已大驚
之亦可已

嚮響　殺斛

○周痺第二十七

黃帝問于岐伯曰周痺之在身也上下移徙隨脉其上下左右
相應間不容空願聞此痛在血脉之中邪將在分肉之間乎何
以致是其痛之移也間不及下針其慉痛之時不及定治而痛
已止矣何道使然願聞其故岐伯答曰此衆痺也非周痺也黃

帝曰願聞衆痺岐伯對曰此各在其處更發更止更居更起以右應左以左應右非能周也更發更休也黄帝曰善刺之柰何岐伯對曰刺此者痛雖已止必刺其處勿令復起帝曰善願聞周痺何如岐伯對曰周痺者在于血脉之中隨脉以上隨脉以下不能左右各當其所黄帝曰刺之柰何岐伯對曰痛從上下者先刺其下以過〔一作遏下同〕之後刺其上以脫之痛從下上者先刺其上以過之後刺其下以脫之黄帝曰善此痛安生何因而有名岐伯對曰風寒濕氣客于外分肉之間迫切而爲沫〻得寒則聚聚則排分肉而分裂也分裂則痛痛則神歸之神歸之則熱熱則痛解痛解則厥厥則他痺發發則如是帝曰善余已得其意矣此內不在藏而外未發于皮獨居分肉之間真氣不能周故命曰周痺故刺痺者必先切循其下之六經視其虛實及大絡之血結而不通及虛而脉陷空者而調之熨而通之其瘛堅轉引而行之黄帝曰善余已得其意矣亦得其事也九者

經巽之理十二經脉陰陽之病也

○口問第二十八

黃帝閒居辟左右而問于岐伯曰余已聞九針之經論陰陽逆順六經已畢願得口問岐伯避席再拜曰善乎哉問也此先師之所口傳也黃帝曰願聞口傳岐伯答曰夫百病之始生也皆生于風雨寒暑陰陽喜怒飲食居處大驚卒恐則血氣分離陰陽破散經絡厥絶脈道不通陰陽相逆衛氣稽留經脉虛空血氣不次乃失其常論不在經者請道其方黃帝曰人之欠者何氣使然岐伯答曰衛氣晝日行于陽夜半則行于陰陰者主夜夜者卧陽者主上陰者主下故陰氣積于下陽氣未盡陽引而上陰引而下陰陽相引故數欠陽氣盡陰氣盛則目瞑陰氣盡而陽氣盛則寤矣寫足少陰補足大陽黃帝曰人之噦者何氣使然岐伯曰穀入于胃胃氣上注于肺今有故寒氣與新谷氣俱還入于胃新故相乱真邪相攻氣并相逆復出于胃故為噦

補手大陰寫足少陰黄帝曰人之唏者何氣使然岐伯曰此陰氣盛而陽氣虚陰氣疾而陽氣徐陰氣盛而陽氣絶故爲唏補足大陽寫足少陰黄帝曰人之振寒者何氣使然岐伯曰寒氣客于皮膚陰氣盛陽氣虚故爲振寒寒慄補諸陽黄帝曰人之噫者何氣使然岐伯曰寒氣客于胃厥逆從下上散復出于胃故爲噫補足大陰陽明一曰補眉本也黄帝曰人之嚏者何氣使然岐伯曰陽氣和利滿于心出于鼻故爲嚏補足大陽榮眉本一曰眉上也黄帝曰人之嚲者何氣使然岐伯曰胃不實則諸脉虚諸脉虚則筋脉懈惰筋脉懈惰則行陰用力氣不能復故爲嚲因其所在補分肉間黄帝曰人之哀而泣涕出者何氣使然岐伯曰心者五藏六府之主也目者宗脉之所聚也上液之道也口鼻者氣之門戸也故悲哀愁憂則心動心動則五藏六府皆搖搖則宗脉感宗脉感則液道開液道開故泣涕出焉液者所以灌精濡空竅者也故上液之道開則泣泣不止則液

竭液竭則精不灌精不灌則目無所見矣故命曰奪精補天柱經挾頸黃帝曰人之大息者何氣使然岐伯曰憂思則心系急心系急則氣道約約則不利故大息以伸出之補手少陰心主足少陽留之也黃帝曰人之涎下者何氣使然岐伯曰飲食者皆入于胃胃中有熱則蟲動蟲動則胃緩胃緩則廉泉開故涎下補足少陰黃帝曰人之耳中鳴者何氣使然岐伯曰耳者宗脉之所聚也故胃中空則宗脉虛虛則下溜脉有所竭者故耳鳴補客主人手大指爪甲上與肉交者也黃帝曰人之自齧舌者何氣使然此厥逆走上脉氣輩至也少陰氣至則齧舌少陽氣至則齧頰陽明氣至則齧唇矣視主病者則補之凡此十二邪者皆奇邪之走空竅者也故邪之所在皆為不足故上氣不足腦為之不滿耳為之苦鳴頭為之苦傾目為之眩中氣不足溲便為之變腸為之苦鳴下氣不足則乃為痿厥心悗補足外踝下留之黃帝曰治之奈何岐伯曰腎主為欠取足少陰肺主

爲噦取手大陰足少陰唏者陰與陽絶故補足大陽寫足少陰
振寒者補諸陽噫者補足大陰陽明嚏者補足大陽眉本嚲因
其所在補分肉間泣出補天柱經俠頸俠頸者頭中分也大息
補手少陰心主足少陽留之涎下　補足少陰耳鳴補客主人手
大指爪甲上與肉交者自齧舌視主病者則補之目眩頭傾補
足外踝下留之痿厥心悗刺足大指間上二寸留之一曰足外
踝下留之

黄帝素問靈樞經集註卷之五

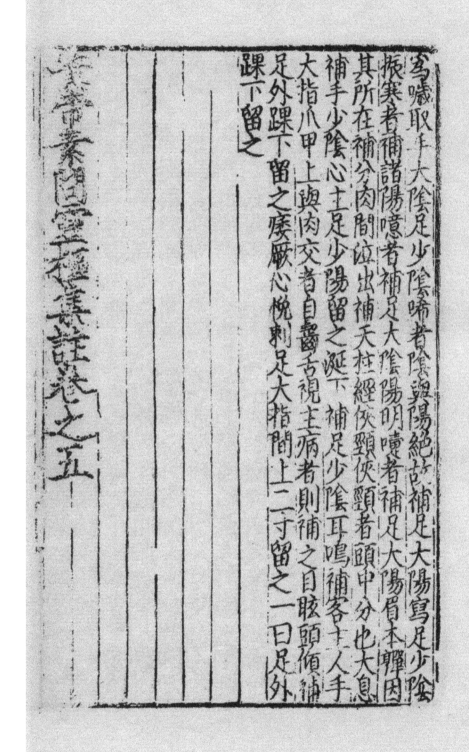

黃帝素問靈樞集註卷之六

○師傳第二十九

黃帝曰余聞先師有所心藏弗著于方余願聞而藏之則而行
之上以治民下以治身使百姓無病上下和親德澤下流子孫
無憂傳于後世無有終時可得聞乎岐伯曰遠乎哉問也夫治
民與自治治彼與治此治小與治大治國與治家未有逆而能
治之也夫惟順而已矣順者非獨陰陽脉論氣之逆順也百姓
人民皆欲順其志也黃帝曰順之奈何岐伯曰入国問俗入家
問諱上堂問禮臨病人問所便黃帝曰便病人奈何岐伯曰夫
中熱消癉則便寒寒中之屬則便熱胃中熱則消穀令人懸心
善飢臍以上皮熱腸中熱則出黃如糜臍以下皮寒胃中寒則
腹脹腸中寒則腸鳴飧泄胃中寒腸中熱則脹而且泄胃中熱
腸中寒則疾飢小腹痛脹黃帝曰胃欲寒飲腸欲熱飲兩者相

逆便之柰何且夫王公大人血食之君驕恣從欲輕人而無能禁之禁之則逆其志順之則加其病便之柰何治之何先岐伯曰人之情莫不惡死而樂生告之以其敗語之以其善導之以其所便開之以其所苦雖有無道之人惡有不聽者乎黃帝曰治之柰何岐伯曰春夏先治其標後治其本秋冬先治其本後治其標黃帝曰便其相逆者柰何岐伯曰便此者食飲衣服亦欲適寒溫寒無凄愴暑無出汗食飲者熱無灼灼寒無滄滄寒溫中適故氣將持乃不致邪僻也黃帝曰本藏以身形支節䐃肉候五藏六府之小大焉今夫王公大人臨朝即位之君而問焉誰可捫循之而後荅乎岐伯曰身形支節者藏府之蓋也非面部之閱也黃帝曰五藏之氣閱于面者余已知之矣以肢節知而閱之柰何岐伯曰五藏六府者肺爲之蓋巨肩陷咽候見其外黃帝曰善岐伯曰五藏六府心爲之主缺盆爲之道骶骨有餘以候髑骭黃帝曰善岐伯曰肝者主爲將使之候外欲知

堅固視目小大黃帝曰善岐伯曰腑者主爲衛使之迎糧視脣舌好惡以知吉凶黃帝曰善岐伯曰腑者主爲外使之遠聽視耳好惡以知其性黃帝曰善願聞六府之候岐伯曰六府者胃爲之海廣骸大頸張胷五穀乃容鼻隧以長以候大腸脣厚人中長以候小腸目下果大其膽乃横鼻孔在外膀胱漏泄鼻柱中央起三焦乃約此所以候六府者也上下三等藏安且良矣

便平声

○決氣第三十

黃帝曰余聞人有精氣津液血脉余意以爲一氣耳今乃辨爲六名余不知其所以然岐伯曰兩神相搏合而成形常先身生是謂精何謂氣岐伯曰上焦開發宣五穀味熏膚充身澤毛若霧露之漑是謂氣何謂津岐伯曰腠理發泄汗出溱溱是謂津何謂液岐伯曰穀入氣滿淖澤注于骨骨屬屈伸洩澤補益腦髓皮膚潤澤是謂液何謂血岐伯曰中焦受氣取汁變化而赤

是謂血何謂脉岐伯曰壅遏營氣令無所避是謂脉黄帝曰六
氣者有餘不足氣之多少腦髓之虚實血脉之清濁何以知之
岐伯曰精脱者耳聾氣脱者目不明津脱者腠理開汗大泄液
脱者骨屬屈伸不利色夭腦髓消脛痠耳數鳴血脱者色白夭
然不澤其脉空虚此其候也黄帝曰六氣者貴賤何如岐伯曰
六氣者各有部主也其貴賤善惡可爲常主然五穀與胃爲大
海也 柰 音奈

○腸胃第三十一

黄帝問于伯高曰余願聞六府傳穀者腸胃之小大長短受穀
之多少柰何伯高曰請盡言之穀所從出入淺深遠近長短之
度脣至齒長九分口廣二寸半齒以後至會厭深三寸半大容
五合舌重十兩長七寸廣二寸半咽門重十兩廣二寸半至胃
長一尺六寸胃紆曲屈伸之長二尺六寸大一尺五寸徑五寸
大容二斗五升小腸後附脊左環迴周疊積其注于迴腸者外

附于臍上廻運環十六曲大二寸徑八分分之少半長二丈三尺廻腸當臍左環廻周葉積而下廻運環反十六曲大四寸徑一寸寸之少半長二丈一尺廣腸傳脊以受廻腸左環葉脊上下辟大八寸徑二寸寸之大半長二尺八寸腸胃所入至所出長六丈四寸四分廻曲環反三十二曲也

○平人絕穀第三十二

黃帝曰願聞人之不食七日而死何也伯高曰臣請言其故胃大一尺五寸徑五寸長二尺六寸橫屈受水穀三斗五升其中之穀常留二斗水一斗五升而滿上焦泄氣出其精微慓悍滑疾下焦下溉諸腸小腸大二寸半徑八分分之少半長三丈二尺受穀二斗四升水六升三合合之大半廻腸大四寸徑一寸寸之少半長二丈一尺受穀一斗水七升半廣腸大八寸徑二寸寸之大半長二尺八寸受穀九升三合八分合之一腸胃之長凡五丈八尺四寸受水穀九斗二升一合合之大半此腸胃

所受水穀之數也平人則不然胃滿則腸虚腸滿則胃虚更虚更滿故氣得上下五藏安定血脉和利精神乃居故神者水穀之精氣也故腸胃之中當留穀二斗水一斗五升故平人日再後後二升半一日中五升七日五七三斗五升而留水穀盡矣故平人不食飲七日而死者水穀精氣津液皆盡故也

○海論第三十三

黃帝問于岐伯曰余聞刺法于夫子夫子之所言不離于營衛血氣夫十二經脉者内屬于府藏外絡于肢節夫子乃合之于四海乎岐伯荅曰人亦有四海十二經水經水者皆注于海海有東西南北命曰四海黃帝曰以人應之柰何岐伯曰人有髓海有血海有氣海有水穀之海凡此四者以應四海也黃帝曰遠乎哉夫子之合人天地四海也願聞應之柰何岐伯荅曰必先明知陰陽表裏滎輸所在四海定矣黃帝曰定之柰何岐伯曰胃者水穀之海其輸上在氣街下至三里衝脉者為十二經

之海其輸上在于大杼下出于巨虚之上下廉膻中者為氣之
海其輸上在于柱骨之上下前在于人迎腦為髓之海其輸上
在于其蓋下在風府黄帝曰凡此四海者何利何害何生何敗
岐伯曰得順者生得逆者敗知調者利不知調者害黄帝曰四
海之逆順奈何岐伯曰氣海有餘者氣滿胷中悗息面赤氣海
不足則氣少不足以言血海有餘則常想其身大怫然不知其
所病血海不足亦常想其身小狹然不知其所病水穀之海有
餘則腹滿水穀之海不足則飢不受穀食髓海有餘則輕勁多
力自過其度髓海不足則腦轉耳鳴脛痠眩冐目無所見懈怠
安卧黄帝曰余已聞逆順調之奈何岐伯曰審守其輸而調其
虚實無犯其害順者得復逆者必敗黄帝曰善

○五亂第三十四

黄帝曰經脉十二者別為五行分為四時何失而亂何得而治
岐伯曰五行有序四時有分相順則治相逆則亂黄帝曰何謂

相順岐伯曰經脉十二者以應十二月十二月者分為四時四
時者春秋冬夏其氣各異營衛相隨陰陽已和清濁不相干如
是則順之而治黄帝曰何謂逆而亂岐伯曰清氣在陰濁氣在
陽營氣順脉衛氣逆行清濁相干亂于胸中是謂大悗故氣乱
于心則煩心密嘿俛首靜伏乱于肺則俛仰喘喝接手以呼乱
于腸胃則為霍乱乱于臂脛則為四厥乱于頭則為厥逆頭重
眩仆黄帝曰五乱者刺之有道乎岐伯曰有道以來有道以去
審知其道是謂身寶黄帝曰善願聞其道岐伯曰氣在于心者
取之手少陰心主之輸氣在於肺者取之手太陰滎足少陰輸
氣在于腸胃者取之足太陰陽明不下者取之三里氣在于頭
者取之天柱大杼不知取足太陽滎輸氣在于臂足取之先去
血脉後取其陽明少陽之滎輸黄帝曰補寫奈何岐伯曰徐入
徐出謂之導氣補瀉無形謂之同精是非有餘不足也乱氣之
相逆也黄帝曰允乎哉道明乎哉論請著之玉版命曰治乱也

脹論第三十五

黄帝曰脉之應于寸口如何而脹岐伯曰其脉大堅以濇者脹也黄帝曰何以知藏府之脹也岐伯曰陰爲藏陽爲府黄帝曰夫氣之令人脹也在于血脉之中耶藏府之内乎岐伯曰三一云二字者皆存焉然非脹之舍也黄帝曰願聞脹之舍岐伯曰夫脹者皆在于藏府之外排藏府而郭胷脇脹皮膚故命曰脹黄帝曰藏府之在胷脇腹裏之内也若匣匵之藏禁器也各有次舍異名而同處一域之中其氣各異願聞其故黄帝曰未解其意再問岐伯曰夫胷腹藏府之郭也膻中者心主之宫城也胃者大倉也咽喉小腸者傳送也胃之五竅者閭里門戸也廉泉玉英者津液之道也故五藏六府者各有畔界其病各有形狀營氣循脉衛氣逆爲脉脹衛氣並脉循分爲膚脹三里而寫近者一下遠者三下無問虚實工在疾寫黄帝曰願聞脹形岐伯曰夫心脹者煩心短氣卧不安肺脹者虚滿而喘欬肝脹者脇下滿

而痛引小腹脾脹者善噦四肢煩悗體重不能勝衣臥不安腎
脹者腹滿引背央央然腰髀痛六府脹胃脹者腹滿胃脘痛鼻
聞焦臭妨于食大便難大腸脹者腸鳴而痛濯濯冬日重感于
寒則飧泄不化小腸脹者少腹䐜脹引腰而痛膀胱脹者少腹
滿而氣癃三焦脹者氣滿于皮膚中輕輕然而不堅膽脹者脇
下痛脹口中苦善大息凡此諸脹者其道在一明知逆順鍼數
不失寫虛補實神去其室致邪失正真不可定粗之所敗謂之
夭命補虛寫實神歸其室久塞其空謂之良工黃帝曰脹者焉
生何因而有岐伯曰衛氣之在身也常然並脈循分肉行有逆
順陰陽相隨乃得天和五藏更始四時有序五穀乃化然後厥
氣在下營衛留止寒氣逆上真邪相攻兩氣相搏乃合為脹也
黃帝曰善何以解惑岐伯曰合之于真三合而得帝曰善黃帝
問于岐伯曰脹論言無問虛實工在疾寫近者一下遠者三下
今有其三而不下者其過焉在岐伯對曰此言陷于肉肓而中

氣穴者也不中氣穴則氣內閉鍼不陷肓則氣不行上越中肉則衛氣相亂陰陽相逐其于脹也當寫不寫氣故不下三而不下必更其道氣下乃止不下復始可以萬全烏有殆者乎其于脹也必審其胗當寫則寫當補則補如鼓應桴惡有不下者乎

五癃津液別第三十六

黃帝問于岐伯曰水穀入于口輸于腸胃其液別為五天寒衣薄則為溺與氣天熱衣厚則為汗悲哀氣并則為泣中熱胃緩則為唾邪氣內逆則氣為之閉塞而不行不行則為水脹余知其然也不知其何由生願聞其道岐伯曰水穀皆入于口其味有五各注其海津液各走其道故三焦出氣以溫肌肉充皮膚為其津其流而不行者為液天暑衣厚則腠理開故汗出寒留于分肉之間聚沫則為痛天寒則腠理閉氣濕不行水下留于膀胱則為溺與氣五藏六府心為之主耳為之聽目為之候肺為之相肝為之將脾為之衛腎為之主外故五藏六府之津液

盡上滲于目心悲氣并則心系急心系急則肺舉肺舉則液上溢夫心系與肺不能常舉乍上乍下故欬而泣出矣中熱則胃中消穀消穀則蟲上下作腸胃充郭故胃緩胃緩則氣逆故唾出五穀之津液和合而為高者內滲入于骨空補益腦髓而下流于陰股陰陽不和則使液溢而下流于陰髓液皆減而下下過度則虛虛故腰背痛而脛痠陰陽氣道不通四海閉塞三焦不寫津液不化水穀并行腸胃之中別于迴腸留于下焦不得滲膀胱則下焦脹水溢則為水脹此津液五別之逆順也

五閱五使第三十七

黃帝問于岐伯曰余聞刺有五官五閱以觀五氣五氣者五藏之使也五時之副也願聞其五使當安出岐伯曰五官者五藏之閱也黃帝曰願聞其所出令可為常岐伯曰脉出于氣口色見于明堂五色更出以應五時各如其常經氣入藏必當治裏帝曰善五色獨決于明堂乎岐伯曰五官已辨闕庭必張乃立

明堂明堂廣大蕃蔽見外方壁高基引垂居外五色乃治平博
廣大壽中百歲見此者刺之必已如是之人者血氣有餘肌肉
堅緻故可苦已針黃帝曰願聞五官岐伯曰鼻者肺之官也目
者肝之官也口唇者脾之官也舌者心之官也耳者腎之官也
黃帝曰以官何候岐伯曰以候五藏故肺病者喘息鼻張肝病
者眥青脾病者唇黃心病者舌卷短顴赤腎病者顴與顏黑黃
帝曰五脉安出五色安見其常色殆者如何岐伯曰五官不辨
闕庭不張小其明堂蕃蔽不見又埤其墻墻下無基垂角去外
如是者雖平常殆況加疾哉黃帝曰五色之見于明堂以觀五
藏之氣左右高下各有形乎岐伯曰府藏之在中也各以次舍
左右上下各如其度也　埤毗利切

○逆順肥瘦第三十八

黃帝問于岐伯曰余聞鍼道于夫子衆多畢悉矣夫子之道應
若失而據未有堅然者也夫子之問學熟乎將審察于物而心

生之乎岐伯曰聖人之爲道者上合于天下合于地中合于人
事必有明法以起度數法式檢押乃後可傳焉故匠人不能釋
尺寸而意短長廢繩墨而起平水也工人不能置規而爲員去
矩而爲方知用此者固自然之物易用之教逆順之常也黄帝
曰願聞自然柰何岐伯曰臨深決水不用功力而水可竭也循
掘決衝而經可通也此言氣之滑澀血之清濁行之逆順也黄
帝曰願聞人之白黑肥瘦小長各有數乎岐伯曰年質壯大血
氣充盈膚革堅固因加以邪刺此者深而留之此肥人也廣肩
腋項肉薄厚皮而黑色脣臨臨然其血黑以濁其氣濇以遲其
爲人也貪于取與刺此者深而留之多益其數也黄帝曰刺瘦
人柰何岐伯曰瘦人者皮薄色少肉廉廉然薄脣輕言其血清
氣滑易脱于氣易損于血刺此者淺而疾之黄帝曰刺常人柰
何岐伯曰視其白黑各爲調之其端正敦厚者其血氣和調刺
此者無失常數也黄帝曰刺壯士眞骨者柰何岐伯曰刺壯士

其骨堅肉緩節監監然此人重則氣濇血濁刺此者深而留之多益其數勁則氣滑血清刺此者淺而疾之黃帝曰刺嬰兒奈何岐伯曰嬰兒者其肉脆血少氣弱刺此者以豪刺淺刺而疾發針日再可也黃帝曰臨深決水奈何岐伯曰血清氣濁疾寫之則氣竭焉黃帝曰循掘決衝奈何岐伯曰血濁氣濇疾寫之則經可通也黃帝曰脈行之逆順奈何岐伯曰手之三陰從藏走手手之三陽從手走頭足之三陽從頭走足足之三陰從足走腹黃帝曰少陰之脈獨下行何也岐伯曰不然夫衝脈者五藏六府之海也五藏六府皆稟焉其上者出於頏顙滲諸陽灌諸精其下者注少陰之大絡出于氣街循陰股內廉入膕中伏行骭骨內下至內踝之後屬而別其下者並于少陰之經滲三陰其前者伏行出跗屬下循跗入大指間滲諸絡而溫肌肉故別絡結則跗上不動不動則厥厥則寒矣黃帝曰何以明之岐伯曰以言導之切而驗之其非必動然後乃可明逆順之行也

黃帝曰窘乎哉聖人之爲道也明于日月微于毫釐其非夫子孰能道之也

○血絡論第三十九

黃帝曰願聞其奇邪而不在經者岐伯曰血絡是也黃帝曰刺血絡而仆者何也血出而射者何也血少黑而濁者何也血出清而半爲汁者何也發針而腫者何也血出若多若少而面色蒼蒼者何也發針而面色不變而煩悗者何也多出血而不動搖者何也願聞其故岐伯曰脉氣盛而血虛者刺之則脫氣脫氣則仆血氣俱盛而陰氣多者其血滑刺之則射陽氣畜積久留而不寫者其血黑以濁故不能射新飲而液滲于絡而未合和于血也故血出而汁別焉其不新飲者身中有水久則爲腫陰氣積于陽其氣因于絡故刺之血未出而氣先行故腫陰陽之氣其新相得而未和合因而寫之則陰陽俱脫表裏相離故脫色而蒼蒼然刺之血出多色不變而煩悗者刺絡而虛經虛

經之屬于陰者陰脫故煩悗陰陽相得而合為痹者此為内溢于經外注于絡如是者陰陽俱有餘雖多出血而弗能虛也黄帝曰相之柰何岐伯曰血脉者盛堅横以赤上下無常處小者如針大者如筋則而寫之萬全也故無失數矣失數而反各如其度黄帝曰針入而肉著者何也岐伯曰熱氣因于針則針熱熱則肉著于針故堅焉

○陰陽清濁第四十

黄帝曰余聞十二經脉以應十二經水者其五色各異清濁不同人之血氣若一應之柰何岐伯曰人之血氣苟能若一則天下為一矣惡有亂者乎黄帝曰余問一人非問天下之衆岐伯曰夫一人者亦有亂氣天下之衆亦有亂人其合為一耳黄帝曰願聞人氣之清濁岐伯曰受穀者濁受氣者清清者注陰濁者注陽濁而清者上出于咽清而濁者則下行清濁相干命曰亂氣黄帝曰夫陰清而陽濁濁者有清清者有濁清濁別之柰

何岐伯曰氣之大別清者上注于肺濁者下走于胃胃之清氣
上出于口肺之濁氣下注于經内積于海黄帝曰諸陽皆濁何
陽濁甚乎岐伯曰手太陽獨受陽之濁手太陰獨受陰之清其
清者上走空竅其濁者下行諸經諸陰皆清足太陰獨受其濁
黄帝曰治之奈何岐伯曰清者其氣滑濁者其氣濇此氣之常
也故刺陰者深而留之刺陽者淺而疾之清濁相干者以數調
之也

說音悅 空音孔

黄帝素問靈樞集註卷之六

黄帝素問靈樞集註卷之七

陰陽繫日月第四十一

黄帝曰余聞天爲陽地爲陰日爲陽月爲陰其合之于人奈何岐伯曰腰以上爲天腰以下爲地故天爲陽地爲陰故足之十二經脉以應十二月月生於水故在下者爲陰手之十指以應十日日主火故在上者爲陽黄帝曰合之于脉奈何岐伯曰寅者正月之生陽也主左足之少陽未者六月主右足之少陽卯者二月主左足之太陽午者五月主右足之太陽辰者三月主左足之陽明巳者四月主右足之陽明此兩陽合于前故曰陽明申者七月之生陰也主右足之少陰丑者十二月主左足之少陰酉者八月主右足之太陰子者十一月主左足之太陰戌者九月主右足之厥陰亥者十月主左足之厥陰此兩陰交盡故曰厥陰甲主左手之少陽己主右手之少陽乙主左手之太

陽戊主右手之太陽丙主左手之陽明丁主左手之陽明此兩火并合故爲陽明庚主右手之少陰癸主左手之少陰辛主右手之太陰壬主左手之太陰故足之陽者陰中之少陽也足之陰者陰中之太陰也手之陽者陽中之太陽也手之陰者陽中之少陰也腰以上者爲陽腰以下者爲陰其於五藏也心爲陽中之太陽肺爲陰中之少陰肝爲陰中之少陽脾爲陰中之至陰腎爲陰中之太陰黄帝曰以治奈何岐伯曰正月二月三月人氣在左無刺左足之陽四月五月六月人氣在右無刺右足之陽七月八月九月人氣在右無刺右足之陰十月十一月十二月人氣在左無刺左足之陰黄帝曰五行以東方甲乙木王春春者蒼色主肝肝者足厥陰也今乃以甲爲手手之少陽不合于數何也岐伯曰此天地之陰陽也非四時五行之以次行也且夫陰陽者有名而無形故數之可十離之可百散之可千推之可萬此之謂也

○病傳第四十二

黃帝曰余受九針于夫子而私覽于諸方或有導引行氣喬摩灸熨刺焫飲藥之一者可獨守耶將盡行之乎岐伯曰諸方者衆人之方也非一人之所盡行也黃帝曰此乃所謂守一勿失萬物畢者也今余已聞陰陽之要虛實之理傾移之過可治之屬願聞病之變化淫傳絕敗而不可治者可得聞乎岐伯曰要乎哉問道昭乎其如旦醒窘乎其如夜瞑能被而服之神與俱成畢將服之神自得之生神之理可著于竹帛不可傳于子孫黃帝曰何謂旦醒岐伯曰明于陰陽如惑之解如醉之醒黃帝曰何謂夜瞑岐伯曰瘖乎其無聲漠乎其無形折毛發理正氣橫傾淫邪泮衍血脉傳溜大氣入藏腹痛下淫可以致死不可以致生黃帝曰大氣入藏奈何岐伯曰病先發于心一日而之肺三日而之肝五日而之脾三日不已死冬夜半夏日中病先發于肺三日而之肝一日而之脾五日而之胃十日不已死冬

日入夏日出病先發于肝三日而之脾五日而之胃三日而之腎三日不已死冬日入夏蚤食病先發于脾一日而之胃二日而之腎三日而之膂膀胱十日不已死冬人定夏晏食病先發于胃五日而之腎三日而之膂膀胱五日而上之心二日不已死冬夜半夏日昳病先發于腎三日而之膂膀胱三日而上之心三日而之小腸三日不已死冬大晨夏早晡病先發于膀胱五日而之腎一日而之小腸一日而之心二日不已死冬雞鳴夏下晡諸病以次相傳如是者皆有死期不可刺也間一藏及二三四藏者乃可刺也 昳（徒結切）

○淫邪發夢第四十三

黃帝曰願聞淫邪泮衍柰何岐伯曰正邪從外襲內而未有定舍反淫于藏不得定處與營衛俱行而與魂魄飛揚使人臥不得安而喜夢氣淫于府則有餘于外不足于內氣淫于藏則有餘于內不足于外黃帝曰有餘不足有形乎岐伯曰陰氣盛則

夢涉大水而恐懼陽氣盛則夢大火而燔焫陰陽俱盛則夢相殺上盛則夢飛下盛則夢墮甚飢則夢取甚飽則夢予肝氣盛則夢怒肺氣盛則夢恐懼哭泣飛揚心氣盛則夢善笑恐畏脾氣盛則夢歌樂身體重不舉腎氣盛則夢腰脊兩解不屬凡此十二盛者至而寫之立已厥氣客于心則夢見丘山煙火客于肺則夢飛揚見金鐵之奇物客于肝則夢山林樹木客于脾則夢見丘陵大澤壞屋風雨客于腎則夢臨淵沒居水中客于膀胱則夢遊行客于胃則夢飲食客于大腸則夢田野客于小腸則夢聚邑衝衢客于膽則夢鬭訟自刳客于陰器則夢接內客于項則夢斬首客于脛則夢行走而不能前及居深地窌苑中客于股肱則夢禮節拜起客于胞䐈則夢溲便凡此十五不足者至而補之立已也　窌力交切

○順氣一日分為四時第四十四

黃帝曰夫百病之所始生者必起于燥濕寒暑風雨陰陽喜怒

飲食居處氣合而有形得藏而有名余知其然也夫百病者多
以旦慧晝安夕加夜甚何也岐伯曰四時之氣使然黃帝曰願
聞四時之氣岐伯曰春生夏長秋收冬藏是氣之常也人亦應
之以一日分爲四時朝則爲春日中爲夏日入爲秋夜半爲冬
朝則人氣始生病氣衰故旦慧日中人氣長長則勝邪故安夕
則人氣始衰邪氣始生故加夜半人氣入藏邪氣獨居于身故
甚也黃帝曰其時有反者何也岐伯曰是不應四時之氣藏獨
主其病者是必以藏氣之所不勝時者甚以其所勝時者起也
黃帝曰治之柰何岐伯曰順天之時而病可與期順者爲工逆
者爲粗黃帝曰善余聞刺有五變以主五輸願聞其數岐伯曰
人有五藏五藏有五變五變有五輸故五五二十五輸以應五
時黃帝曰願聞五變岐伯曰肝爲牡藏其色青其時春其音角
其味酸其日甲乙心爲牡藏其色赤其時夏其日丙丁其音徵
其味苦脾爲牝藏其色黃其時長夏其日戊己其音宮其味甘

肺為牝藏其色白其音商其時秋其日庚辛其味辛腎為牝藏其色黑其時冬其日壬癸其音羽其味鹹是為五變黃帝曰以主五輸柰何藏主冬冬刺井色主春春刺滎時主夏夏刺輸音主長夏長夏刺經味主秋秋刺合是謂五變以主五輸黃帝曰諸原安合以致六輸岐伯曰原獨不應五時以經合之以應其數故六六三十六輸黃帝曰何謂藏主冬時主夏音主長夏味主秋色主春願聞其故岐伯曰病在藏者取之井病變于色者取之滎病時間時甚者取之輸病變于音者取之經經滿而血者病在胃及以飲食不節得病者取之於合故命曰味主合是謂五變也

○外揣第四十五

黃帝曰余聞九針九篇余親授其調頗得其意夫九針者始於一而終于九然未得其要道也夫九針者小之則無內大之則無外深不可為下高不可為蓋恍惚無窮流溢無極余知其合

于天道人事四時之變也然余願雜之毫毛渾束爲一可乎歧
伯曰明乎哉問也非獨針道焉夫治國亦然黃帝曰余願聞針
道非國事也歧伯曰夫治國者夫惟道焉非道何可小大深淺
雜合而爲一乎黃帝曰願卒聞之歧伯曰日與月焉水與鏡焉
鼓與響焉夫日月之明不失其影水鏡之察不失其形鼓響之
應不後其声動搖則應和盡得其情黃帝曰窘乎哉昭昭之明
不可蔽其不可蔽不失陰陽也合而察之切而驗之見而得之
若清水明鏡之不失其形也五音不彰五色不明五藏波蕩若
是則外内相襲若鼓之應桴響之應声影之似形故遠者司外
揣内近者司内揣外是謂陰陽之極天地之蓋請藏之靈蘭之
室弗敢使泄也

○五變第四十六

黃帝問于少俞曰余聞百疾之始期也必生于風雨寒暑循毫
毛而入腠理或復還或留止或爲風腫汗出或爲消癉或爲寒

熱或為留痹或為積聚奇邪淫溢不可勝數願聞其故夫同時
得病或病此或病彼意者天之為人生風乎何其異也少俞曰
夫天之生風者非以私百姓也其行公平正直犯者得之避者
得無殆非求人而人自犯之黄帝曰一時遇風同時得病其病
各異願聞其故少俞曰善乎哉問請論以比匠人匠人磨斧斤
礪刀削斲材木木之陰陽尚有堅脆堅者不入脆者皮弛至其
交節而缺斤斧焉夫一木之中堅脆不同堅者則剛脆者易傷
况其材木之不同皮之厚薄汁之多少而各異耶夫木之蚤花
先生葉者遇春霜烈風則花落而葉萎久曝大旱則脆木薄皮
者枝條汁少而葉萎久陰淫雨則薄皮多汁者皮潰而漉卒風
暴起則剛脆之木枝折杌傷秋霜疾風則剛脆之木根搖而葉
落凡此五者各有所傷况於人乎黄帝曰以人應木奈何少俞
荅曰木之所傷也皆傷其枝枝之剛脆而堅未成傷也人之有
常病也亦因其骨節皮膚腠理之不堅固者邪之所舍也故常

爲病也黃帝曰人之善病風厥漉汗者何以候之少俞答曰肉
不堅腠理踈則善病風黃帝曰何以候肉之不堅也少俞答曰
䐃肉不堅而無分理理者粗理粗理而皮不緻者腠理踈此言
其渾然者黃帝曰人之善病消癉者何以候之少俞答曰五藏
皆柔弱者善病消癉黃帝曰何以知五藏之柔弱也少俞答曰
夫柔弱者必有剛強剛強多怒柔者易傷也黃帝曰何以候柔
弱之與剛強少俞答曰此人薄皮膚而目堅固以深者長衝直
揚其心剛剛則多怒怒則氣上逆胸中畜積血氣逆留臗皮充
肌血脉不行轉而爲熱熱則消肌膚故爲消癉此言其人暴剛
而肌肉弱者也黃帝曰人之善病寒熱者何以候之少俞答曰
小骨弱肉者善病寒熱黃帝曰何以候骨之小大肉之堅脆色
之不一也少俞答曰顴骨者骨之本也顴大則骨大顴小則骨
小皮膚薄而其肉無䐃其臂懦懦然其地色殆然不與其天同
色汙然獨異此其候也然後臂薄者其髓不滿故善病寒熱也

黄帝曰何以候人之善病痹者少俞答曰粗理而肉不堅者善病痹黄帝曰痹之高下有處乎少俞答曰欲知其高下者各視其部黄帝曰人之善病腸中積聚者何以候之少俞答曰皮膚薄而不澤肉不堅而淖澤如此則腸胃惡惡則邪氣留止積聚乃傷脾胃之間寒溫不次邪氣稍至稸積留止大聚乃起黄帝曰余聞病形已知之矣願聞其時少俞答曰先立其年以知其時時高則起時下則殆雖不陷下當年有衝通其病必起是謂因形而生病五變之紀也

髖寬 抏兀 灑麗 懦儒

○本藏第四十七

黄帝問于岐伯曰人之血氣精神者所以奉生而周于性命者也經脉者所以行血氣而營陰陽濡筋骨利關節者也衛氣者所以溫分肉充皮膚肥腠理司關闔者也志意者所以御精神收魂魄適寒溫和喜怒者也是故血和則經脉流行營覆陰陽

筋骨勁強，關節清利矣。衛氣和則分肉解利，皮膚調柔，腠理緻密矣。志意和則精神專直，魂魄不散，悔怒不起，五藏不受邪矣。寒溫和則六府化穀，風痺不作，經脉通利，肢節得安矣。此人之常平也。五藏者，所以藏精神血氣魂魄者也。六府者，所以化水穀而行津液者也。此人之所以具受于天也，無愚智賢不肖，無以相倚也。然有其獨盡天壽，而無邪僻之病，百年不衰，雖犯風雨卒寒大暑，猶有弗能害也；有其不離屏蔽室內，無怵惕之恐，然猶不免於病，何也？願聞其故。岐伯對曰：窘乎哉問也。五藏者，所以參天地，副陰陽，而連四時，化五節者也。五藏者，固有小大高下堅脆端正偏傾者，六府亦有小大長短厚薄結直緩急。凡此二十五者，各不同，或善或惡，或吉或凶，請言其方。心小則安，邪弗能傷，易傷以憂；心大則憂不能傷，易傷于邪。心高則滿于肺中，悗而善忘，難開以言；心下則藏外，易傷于寒，易恐以言。心堅則藏安守固；心脆則善病消癉熱中。心端正則和利難傷；心偏傾則操持不一無守司也肺小則少飲不病喘喝肺大則多飲善病胷痹喉痹逆氣肺高則上氣肩息欬肺下則居賁迫肺善脇下痛肺堅則不病欬上氣肺脆則苦病消癉易傷肺端正則和利難傷肺偏傾則胷偏痛也肝小則藏安無脇下之病肝大則逼胃迫咽迫咽則苦膈中且脇下痛肝高則上支賁切脇悗為息賁肝下則逼胃脇下空脇下空則易受邪肝堅則藏安難傷肝脆則善病消癉易傷肝端正則和利難傷肝偏傾則脇下痛也脾小則藏安難傷于邪也脾大則苦湊䏚而痛不能疾行脾高則䏚引季脇而痛脾下則下加于大腸下加于大腸則藏苦受邪脾堅則藏安難傷脾脆則善病消癉易傷脾端正則和利難傷脾偏傾則善滿善脹也腎小則藏安難傷腎大則善病腰痛不可以俛仰易傷以邪腎高則苦背膂痛不可以俛仰腎下則腰尻痛不可以俛仰為狐疝腎堅則不病腰背痛腎脆則苦病消癉易傷腎端正則和利難傷腎偏傾則苦腰尻痛也

凡此二十五變者人之所苦常病黃帝曰何以知其然也岐伯
曰赤色小理者心小粗理者心大無䯏骬者心高䯏骬小短舉
者心下䯏骬長者心下堅䯏骬弱小以薄者心脆䯏骬直下不
舉者心端正䯏骬倚一方者心偏傾也白色小理者肺小粗理
者肺大巨肩反膺陷喉者肺高合腋張脇者肺下好肩背厚者
肺堅肩背薄者肺脆背膺厚者肺端正脇偏疏者肺偏傾也青
色小理者肝小粗理者肝大廣胸反骹者肝高合脇兔骹者肝
下胸脇好者肝堅脇骨弱者肝脆膺腹好相得者肝端正脇骨
偏舉者肝偏傾也黃色小理者脾小粗理者脾大揭唇者脾高
唇下縱者脾下唇堅者脾堅唇大而不堅者脾脆唇上下好者
脾端正唇偏舉者脾偏傾也黑色小理者腎小粗理者腎大高
耳者腎高耳後陷者腎下耳堅者腎堅耳薄不堅者腎脆耳好
前居牙車者腎端正耳偏高者腎偏傾也凡此諸變者持則安
減則病也帝曰善然非余之所問也願聞人之有不可病者至

盡天壽雖有深憂大恐怵惕之志猶不能減也甚寒大熱不能傷也其有不離屏蔽室內又無怵惕之恐然不免于病者何也願聞其故岐伯曰五藏六府邪之舍也請言其故五藏皆小者少病苦燋心大愁憂五藏皆大者緩于事難使以憂五藏皆高者好高舉措五藏皆下者好出人下五藏皆堅者無病五藏皆脆者不離于病五藏皆端正者和利得人心五藏皆偏傾者邪心而善盜不可以爲人平反覆言語也黃帝曰願聞六府之應岐伯荅曰肺合大腸大腸者皮其應心合小腸小腸者脉其應肝合膽膽者筋其應脾合胃胃者肉其應腎合三焦膀胱三焦膀胱者腠理毫毛其應黃帝曰應之柰何岐伯曰肺應皮皮厚者大腸厚皮薄者大腸薄皮緩腹裏大者大腸大而長皮急者大腸急而短皮滑者大腸直皮肉不相離者大腸結心應脉皮厚者脉厚脉厚者小腸厚皮薄者脉薄脉薄者小腸薄皮緩者脉緩脉緩者小腸大而長皮薄而脉沖小者小腸小而短諸陽

經脉皆多紆屈者小腸結脾應肉肉䐃堅大者胃厚肉䐃麽者胃薄肉䐃小而麽者胃不堅肉䐃不稱身者胃下胃下者下管約不利肉䐃不堅者胃緩肉䐃無小裹累者胃急肉䐃多少裹累者胃結胃結者上管約不利也肝應爪爪厚色黃者膽厚爪薄色紅者膽薄爪堅色青者膽急爪濡色赤者膽緩爪直色白無約者膽直爪惡色黑多紋者膽結也腎應骨密理厚皮者三焦膀胱厚粗理薄皮者三焦膀胱薄疏腠理者三焦膀胱緩皮急而無毫毛者三焦膀胱急毫毛美而粗者三焦膀胱直稀毫毛者三焦膀胱結也黃帝曰厚薄美惡皆有形願聞其所病岐伯荅曰視其外應以知其内藏則知所病矣

十 殀切 枯高 殼六 剥 髃結 骭于

黃帝素問靈樞集註卷之七

黃帝素問靈樞經集註卷之八

○禁服第四十八

雷公問于黃帝曰細子得受業通于九鍼六十篇旦暮勤服之近者編絕久者簡垢然尚諷誦弗置未盡解於意矣外揣言渾束為一未知所謂也夫大則無外小則無內大小無極高下無度束之奈何士之才力或有厚薄智慮褊淺不能博大深奧自強于學若細子細子恐其散于後世絕于子孫敢問約之奈何黃帝曰善乎哉問也此先師之所禁坐私傳之也割臂歃血之盟也子若欲得之何不齋乎雷公再拜而起曰請聞命于是也乃齋宿三日而請曰敢問今日正陽細子願以受盟黃帝乃與俱入齋室割臂歃血黃帝親祝曰今日正陽歃血傳方有敢背此言者反受其殃雷公再拜曰細子受之黃帝乃左握其手右授之書曰慎之慎之吾為子言之凡刺之理經脈為始營其所

行知其度量內刺五藏外刺六府審察衛氣爲百病母調其虛
實虛實乃止寫其血絡血盡不殆矣雷公曰此皆細子之所以
通未知其所約也黃帝曰夫約方者猶約囊也囊滿而弗約則
輸泄方成弗約則神與弗俱雷公曰願爲下材者勿滿而約之
黃帝曰未滿而知約之以爲工不可以爲天下師雷公曰願聞
爲工黃帝曰寸口主中人迎主外兩者相應俱往俱來若引繩
大小齊等春夏人迎微大秋冬寸口微大如是者名曰平人人
迎大一倍于寸口病在足少陽一倍而躁在手少陽人迎二倍
病在足太陽二倍而躁病在手太陽人迎三倍病在足陽明三
倍而躁病在手陽明盛則爲熱虛則爲寒緊則爲痛痺代則乍
甚乍間盛則寫之虛則補之緊痛則取之分肉代則取血絡且
飲藥陷下則灸之不盛不虛以經取之名曰經刺人迎四倍者
且大且數名曰溢陽溢陽爲外格死不治必審按其本末察其
寒熱以驗其藏府之病寸口大于人迎一倍病在足厥陰一倍

而躁在手心主寸口二倍病在足少陰二倍而躁在手少陰寸口三倍病在足太陰三倍而躁在手太陰盛則脹滿寒中食不化虛則熱中出糜少氣溺色變緊則痛痺代則乍痛乍止盛則寫之虛則補之緊則先刺而後灸之代則取血絡而後調之陷下則徒灸之陷下者脉血結于中中有著血血寒故宜灸之不盛不虛以經取之寸口四倍者名曰內關內關者且大且數死不治必審察其本末之寒溫以驗其藏府之病通其營輸乃可傳于大數大數曰盛則徒寫之虛則徒補之緊則灸刺且飲藥陷下則徒灸之不盛不虛以經取之所謂經治者飲藥亦曰灸刺脉急則引脉大以弱則欲安靜用力無勞也

釋 燀治切

○五色第四十九

雷公問于黃帝曰五色獨決于明堂乎小子未知其所謂也黃帝曰明堂者鼻也闕者眉間也庭者顏也蕃者頰側也蔽者耳門也其間欲方大去之十步皆見于外如是者壽必中百歲雷

公曰五官之辨柰何黃帝曰明堂骨高以起平以直五藏次于中央六府挾其兩側首面上于闕庭王宮在于下極五藏安于胷中真色以致病色不見明堂潤澤以清五官惡得無辨乎雷公曰其不辨者可得聞乎黃帝曰五色之見也各出其色部部骨陷者必不免于病矣其色部乘襲者雖病甚不死矣雷公曰官五色柰何黃帝曰青黑為痛黃赤為熱白為寒是謂五官雷公曰病之益甚與其方衰如何黃帝曰外內皆在焉切其脉口滑小緊以沉者病益甚在中人迎氣大緊以浮者其病益甚在外其脉口浮滑者病日進人迎沉而滑者病日損其脉口滑以沉者病日進在內其人迎脉滑盛以浮者其病日進在外脉之浮沉及人迎與寸口氣小大等者病難已病之在藏沉而大者易已小為逆病在府浮而大者其病易已人迎盛堅者傷於寒氣口盛堅者傷於食雷公曰以色言病之間甚柰何黃帝曰其色麤以明沉夭者為甚其色上行者病益甚其色下行如雲徹

散者病方以五色各有藏部有外部有內部也色從外部走內部者其病從外走內其色從內走外者其病從內走外病生於內者先治其陰後治其陽反者益甚其病生於陽者先治其外後治其內反者益甚其脉滑大以代而長者病從外來目有所見志有所惡此陽氣之并也可變而已雷公曰小子聞風者百病之始也厥逆者寒濕之起也別之奈何黃帝曰常候闕中薄澤爲風冲濁爲痺在地爲厥此其常也各以其色言其病雷公曰人不病卒死何以知之黃帝曰大氣入于藏府者不病而卒死矣雷公曰病小愈而卒死者何以知之黃帝曰赤色出兩顴大如母指者病雖小愈必卒死黑色出於庭大如母指必不病而卒死雷公再拜曰善哉其死有期乎黃帝曰察色以言其時雷公曰善乎願卒聞之黃帝曰庭者首面也闕上者咽喉也闕中者肺也下極者心也直下者肝也肝左者膽也下者脾也方上者胃也中央者大腸也挾大腸者腎也當腎者臍也面王以

上者小腸也面王以下者膀胱子處也顴者肩也顴後者臂也臂下者手也目內眥上者膺乳也挾繩而上者背也循牙車以下者股也中央者膝也膝以下者脛也當脛以下者足也巨分者股裏也巨屈者膝臏也此五藏六府肢節之部也各有部分有部分用陰和陽用陽和陰當明部分萬舉萬當能別左右是謂大道男女異位故曰陰陽審察澤夭謂之良工沉濁為內浮澤為外黃赤為風青黑為痛白為寒黃而膏潤為膿赤甚者為血痛甚為攣寒甚為皮不仁五色各見其部察其浮沉以知淺深察其澤夭以觀成敗察其散摶以知遠近視色上下以知病處積神于心以知往今故相氣不微不知是非屬意勿去乃知新故色明不麤沉夭為甚不明不澤其病不甚其色散駒駒然未有聚其病散而氣痛聚未成也腎乘心心先病腎為應色皆如是男子色在于面王為小腹痛下為卵痛其圜直為莖痛高為本下為首狐疝㿗陰之屬也女子在于面王為膀胱子處之

痛散為痛搏為聚方員左右各如其色形其隨而下至胝為淫有潤如膏狀為暴食不潔左為左右為右其色有邪聚散而不端面色所指者也色者青黑赤白黄皆端滿有別鄉別鄉赤者其色亦大如榆莢在面王為不日其色上銳首空上向下銳下向在左右如法以五色命藏青為肝赤為心白為肺黄為脾黑為腎肝合筋心合脉肺合脾脾合肉腎合骨也

○論勇第五十

黄帝問于少俞曰有人于此並行並立其年之長少等也衣之厚薄均也卒然遇烈風暴雨或病或不病或皆病或皆不病其故何也少俞曰帝問何急黄帝曰願盡聞之少俞曰春青風夏陽風秋凉風冬寒風凡此四時之風者其所病各不同形黄帝曰四時之風病人如何少俞曰黄色薄皮弱肉者不勝春之虚風白色薄皮弱肉者不勝夏之虚風青色薄皮弱肉不勝秋之虚風赤色薄皮弱肉不勝冬之虚風也黄帝曰黑色不病乎少

俞曰黑色而皮厚肉堅固不傷于四時之風其皮薄而肉不堅
色不一者長夏至而有虛風者病矣其皮厚而肌肉堅者長夏
至而有虛風不病矣其皮厚而肌肉堅者必重感于寒外内皆
然乃病黄帝曰善黄帝曰夫人之忍痛與不忍痛者非勇怯之
分也夫勇士之不忍痛者見難則前見痛則止夫怯士之忍痛
者聞難則恐遇痛不動夫勇士之忍痛者見難不恐遇痛不動
夫怯士之不忍痛者見難與痛目轉面盻恐不能言失氣驚顔
色变化乍死乍生余見其然也不知其何由願聞其故少俞曰
夫忍痛與不忍痛者皮膚之薄厚肌肉之堅脆緩急之分也非
勇怯之謂也黄帝曰願聞勇怯之所由然少俞曰勇士者目深
以固長衡直揚三焦理横其心端直其肝大以堅其膽滿以傍
怒則氣盛而胷張肝舉而膽横眥裂而目揚毛起而面蒼此勇
士之由然者也黄帝曰願聞怯士之所由然少俞曰怯士者目
大而不減陰陽相失其焦理縱䯏骬短而小肝系緩其膽不滿

而縱肝擧膽下空少膓弛方入怒氣不能滿其胷肝肺雖舉氣衰復下故不能久怒此怯士之所由然者也黃帝曰怯士之得酒怒不避勇士者何藏使然少俞曰酒者水穀之精熟穀之液也其氣慓悍其入于胃中則胃脹氣上逆滿于胷中肝浮膽横當是之時固比于勇士氣衰則悔與勇士同類不知避之名曰酒悖也

【音釋】下古模切

○背腧第五十一

黃帝問于岐伯曰願聞五藏之腧出于背者岐伯曰胷中大腧在杼骨之端肺腧在三焦之間心腧在五焦之間膈腧在七焦之間肝腧在九焦之間脾腧在十一焦之間腎腧在十四焦之間皆挾脊相去三寸所則欲得而驗之按其處應在中而痛解乃其腧也灸之則可刺之則不可氣盛則寫之虛則補之以火補者毋吹其火須自滅也以火寫者疾吹其火傳其艾須其火滅也

○衛氣第五十二

黃帝曰五藏者所以藏精神魂魄者也六府者所以受水穀而行化物者也其氣內干五藏而外絡肢節其浮氣之不循經者為衛氣其精氣之行于經者為營氣陰陽相隨外內相貫如環之無端亭亭淳淳乎孰能窮之然其分別陰陽皆有標本虛實所離之處能別陰陽十二經者知病之所生候虛實之所在者能得病之高下知六府之氣街者能知解結契紹于門戶能知虛石之堅軟者知補寫之所在能知六經標本者可以無惑于天下岐伯曰博哉聖帝之論臣請盡意悉言之足太陽之本在跟以上五寸中標在兩絡命門命門者目也足少陽之本在竅陰之間標在窗籠之前窗籠者耳也足少陰之本在內踝下上三寸中標在背腧與舌下兩脉也足厥陰之本在行間上五寸所標在背腧也足陽明之本在厲兌標在人迎頰挾頏顙也足太陰之本在中封前上四寸之中標在背腧與舌本也手太陽

之本在外踝之後標在命門之上一寸也手少陽之本在小指次指之間上二寸標在耳後上角下外眥也手陽明之本在肘骨中上至別陽標在顏下合鉗上也手太陰之本在寸口之中標在腋內動也手少陰之本在銳骨之端標在背腧也手心主之本在掌後兩筋之間二寸標在腋下下三寸也凡候此者下虛則厥下盛則熱上虛則眩上盛則熱痛故石者絕而止之虛者引而起之請言氣街胸氣有街腹氣有街頭氣有街脛氣有街故氣在頭者止之于腦氣在胸者止之膺與背腧氣在腹者止之背腧與衝脉于臍左右之動脉者氣在脛者止之于氣街與承山踝上以下取此者用毫針必先按而在久應于手乃刺而予之所治者頭痛眩仆腹痛中滿暴脹及有新積痛可移者易已也積不痛難已也

鉗音鈐

○論痛第五十三

黃帝問于少俞曰筋骨之強弱肌肉之堅脆皮膚之厚薄腠理

之踈密各不同其于針石火焫之痛何如腸胃之厚薄堅脆亦
不等其於毒藥何如願盡聞之少俞曰人之骨強筋弱肉緩皮
膚厚者耐痛其于針石之痛火焫亦然黄帝曰其耐火焫者何
以知之少俞荅曰加以黑色而美骨者耐火焫黄帝曰其不耐
針石之痛者何以知之少俞曰堅肉薄皮者不耐針石之痛于
火焫亦然黄帝曰人之病或同時而傷或易已或難已其故何
如少俞曰同時而傷其身多熱者易已多寒者難已黄帝曰人
之勝毒何以知之少俞曰胃厚色黑大骨及肥者皆勝毒故其
瘦而薄胃者皆不勝毒也

○天年第五十四

黄帝問于岐伯曰願聞人之始生何氣築爲基何立而爲楯何
失而死何得而生岐伯曰以母爲基以父爲楯失神者死得神
者生也黄帝曰何者爲神岐伯曰血氣已和榮衛已通五藏已
成神氣舍心魂魄畢具乃成爲人黄帝曰人之壽夭各不

夭壽或卒死或病久願聞其道岐伯曰五藏堅固血脉和調肌
肉解利皮膚緻密營衛之行不失其常呼吸微徐氣以度行六
府化穀津液布揚各如其常故能長久黄帝曰人之壽百歲而
死何以致之岐伯曰使道隧以長基牆高以方通調營衛三部
三里起骨高肉滿百歲乃得終黄帝曰其氣之盛衰以至其死
可得聞乎岐伯曰人生十歲五藏始定血氣已通其氣在下故
好走二十歲血氣始盛肌肉方長故好趨三十歲五藏大定肌
肉堅固血脉盛滿故好步四十歲五藏六府十二經脉皆大盛
以平定腠理始踈榮華頹落髮頗斑白平盛不揺故好坐五十
歲肝氣始衰肝葉始薄膽汁始減目始不明六十歲心氣始衰
苦憂悲血氣懈惰故好卧七十歲脾氣虚皮膚枯八十歲肺氣
衰魄離故言善悞九十歲腎氣焦四藏經脉空虚百歲五藏皆
虚神氣皆去形骸獨居而終矣黄帝曰其不能終壽而死者何
如岐伯曰其五藏皆不堅使道不長空外以張喘息暴疾又卑

基墻薄脉少血其肉不石數中風寒血氣虛脉不通眞邪相攻亂而相引故中壽而盡也

○逆順第五十五

黄帝問于伯高曰余聞氣有逆順脉有盛衰刺有大約可得聞乎伯高曰氣之逆順者所以應天地隂陽四時五行也脉之盛衰者所以候血氣之虛實有餘不足刺之大約者必明知病之可刺與其未可刺與其已不可刺也黄帝曰候之柰何伯高曰兵法曰無迎逢逢之氣無擊堂堂之陣刺法曰無刺熇熇之熱無刺漉漉之汗無刺渾渾之脉無刺病與脉相逆者黄帝曰候其可刺柰何伯高曰上工刺其未生者也其次刺其未盛者也其次刺其已衰者也下工刺其方襲者也與其形之盛者也與其病之與脉相逆者也故曰方其盛也勿敢毁傷刺其已衰事必大昌故曰上工治未病不治已病此之謂也

逢蒲紅切　熇呼木切

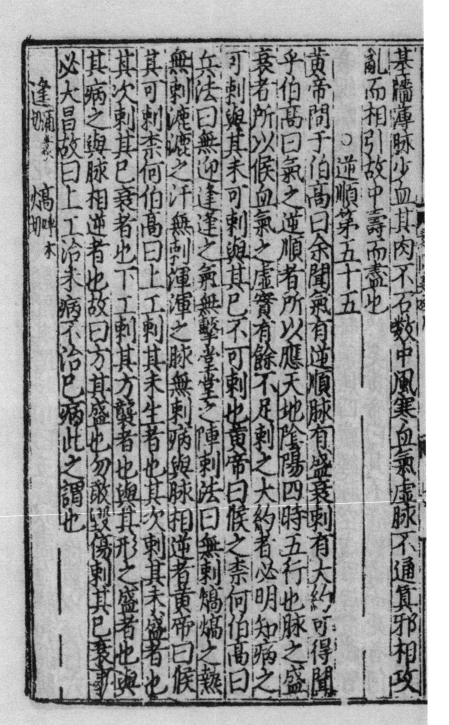

○五味第五十六

黄帝曰願聞穀氣有五味其入五藏分別奈何伯高曰胃者五藏六府之海也水穀皆入于胃五藏六府皆禀氣于胃五味各走其所喜穀味酸先走肝穀味苦先走心穀味甘先走脾穀味辛先走肺穀味鹹先走腎穀氣津液已行營衛大通乃化糟粕以次傳下黄帝曰營衛之行奈何伯高曰穀始入于胃其精微者先出于胃之兩焦以溉五藏別出兩行營衛之道其大氣之摶而不行者積于胷中命曰氣海出于肺循喉咽故呼則出吸則入天地之精氣其大數常出三入一故穀不入半日則氣衰一日則氣少矣黄帝曰穀之五味可得聞乎伯高曰請盡言之五穀秔米甘麻酸大豆鹹麥苦黄黍辛五菓棗甘李酸栗鹹杏苦桃辛五畜牛甘犬酸猪鹹羊苦雞辛五菜葵甘韭酸藿鹹薤苦葱辛五色黄色宜甘青色宜酸黑色宜鹹赤色宜苦白色宜辛凡此五者各有所宜五宜所言五色者脾病者宜食秔米飯

牛肉棗葵心病者宜食麥羊肉杏薤腎病者宜食大豆黃卷豬
肉栗藿肝病者宜食麻犬肉李韭肺病者宜食黃黍雞肉桃葱
五禁肝病禁辛心病禁鹹脾病禁酸腎病禁甘肺病禁苦肝色
青宜食甘粳米飯牛肉棗葵皆甘心色赤宜食酸犬肉麻李韭
皆酸脾色黃宜食鹹大豆豕肉栗藿皆鹹肺色白宜食苦麥羊
肉杏薤皆苦腎色黑宜食辛黃黍雞肉桃葱皆辛

卷之八

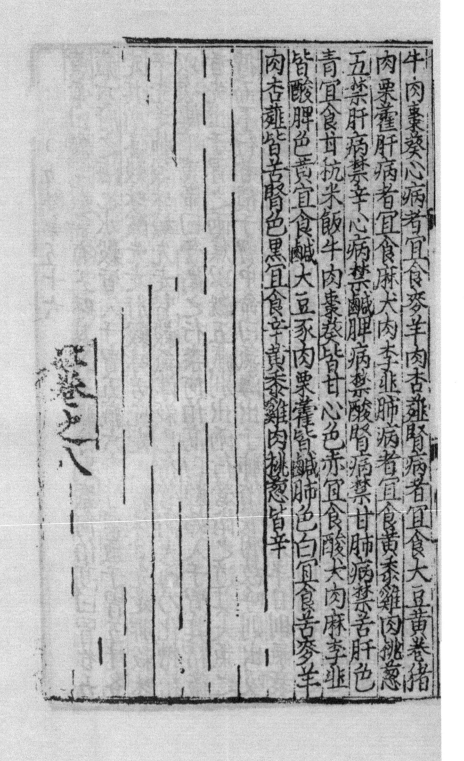

黃帝素問靈樞集註卷之九

○水脹第五十七

黃帝問于岐伯曰水與膚脹鼓脹腸覃石瘕石水何以別之岐伯答曰水始起也目窠上微腫如新卧起之狀其頸脉動時欬陰股間寒足脛瘇腹乃大其水已成矣以手按其腹隨手而起如裹水之狀此其候也黃帝曰膚脹何以候之岐伯曰膚脹者寒氣客于皮膚之間鼟鼟然不堅腹大身盡腫皮厚按其腹窅而不起腹色不變此其候也鼓脹何如岐伯曰腹脹身皆大大與膚脹等也色蒼黃腹筋起此其候也腸覃何如岐伯曰寒氣客于腸外與衛氣相搏氣不得榮因有所繫癖而內著惡氣乃起瘜肉乃生其始生也大如雞卵稍以益大至其成如懷子之狀久者離歲按之則堅推之則移月事以時下此其候也石瘕何如岐伯曰石瘕生于胞中寒氣客于子門子門閉塞氣不得

通惡血當寫不寫衃以留止日以益大狀如懷子月事不以時
下皆生于女子可導而下黃帝曰膚脹鼓脹可刺邪岐伯曰先
寫其脹之血絡後調其經刺去其血絡也

口賊風第五十八

黃帝曰夫子言賊風邪氣之傷人也令人病焉今有其不離屏
蔽不出室穴之中卒然病者非不離賊風邪氣其故何也岐伯
曰此皆嘗有所傷于濕氣藏于血脉之中分肉之間久留而不
去若有所墮墜惡血在內而不去卒然喜怒不節飲食不適寒
溫不時腠理閉而不通其開而遇風寒則血氣凝結與故邪相
襲則為寒痺其有熱則汗出汗出則受風雖不遇賊風邪氣必
有因加而發焉黃帝曰今夫子之所言者皆病人之所自知也
其毋所遇邪氣又毋怵惕之所志卒然而病者其故何也唯有
因鬼神之事乎岐伯曰此亦有故邪留而未發因而志有所惡
及有所慕血氣內亂兩氣相搏其所從來者微視之不見聽而

不聞猶似鬼神黄帝曰其祝而已者其故何也岐伯曰先巫者
因知百病之勝先知其病之所從生者可祝而已也

○衛氣失常第五十九

黄帝曰衛氣之留于腹中搐積不行苑蘊不得常所使人肢脇
胃中滿喘呼逆息者何以去之伯高曰其氣積于胷中者上取
之積于腹中者下取之上下皆滿者傍取之黄帝曰取之奈何
伯高對曰積于上寫人迎天突喉中積于下者寫三里與氣街
上下皆滿者上下取之與季脇之下一寸之下杜一云季脇重者雞
足取之診視其脉大而弦急及絶不至者及腹皮急甚者不可
刺也黄帝曰善黄帝問于伯高曰何以知皮肉氣血筋骨之病
也伯高曰色起兩眉薄澤者病在皮脣色青黄赤白黑者病在
肌肉營氣濡然者病在血氣目色青黄赤白黑者病在筋耳焦
枯受塵垢病在骨黄帝曰病形何如取之奈何伯高曰夫百病
變化不可勝數然皮有部肉有柱血氣有輸骨有屬黄帝曰願

聞其故伯高曰皮之部輸于四末肉之柱在臂脛諸陽分肉之間與足少陰分間血氣之輸輸于諸絡氣血留居則盛而起筋部無陰無陽無左無右候病所在骨之屬者骨空之所以受益而益腦髓者也黃帝曰取之奈何伯高曰夫病變化浮沉深淺不可勝窮各在其處病間者淺之甚者深之間者小之甚者衆之隨變而調氣故曰上工黃帝問于伯高曰人之肥瘦大小寒溫有老壯少小別之奈何伯高對曰人年五十已上爲老二十已上爲壯十八已上爲少六歲已上爲小黃帝曰何以度之其肥瘦伯高曰人有肥有膏有肉黃帝曰別此奈何伯高曰膕肉堅膕一本云皮滿者肥膕肉不堅皮緩者膏皮肉不相離者肉黃帝曰身之寒溫何如伯高曰膏者其肉淖而粗理者身寒細理者身熱脂者其肉堅細理者熱粗理者寒黃帝曰其肥瘦大小奈何伯高曰膏者多氣而皮縱緩故能縱腹垂腴肉者身體容大脂者其身收小黃帝曰三者之氣血多少何如伯高曰膏者

多氣多氣者熱熱者耐寒肉者多血則充形充形則平脂者其血清氣滑少故不能大此別于衆人者也黃帝曰衆人奈何伯高曰衆人皮肉脂膏不能相加也血與氣不能相多故其形不小不大各自稱其身命曰衆人黃帝曰善治之奈何伯高曰必先別其三形血之多少氣之清濁而後調之治無失常經是故膏人縱腹垂腴肉人者上下容大脂人者雖脂不能大者

○玉版第六十

黃帝曰余以小針爲細物也夫子乃言上合之于天下合之于地中合之于人余以爲過針之意矣願聞其故岐伯曰何物大於天乎夫大于針者惟五兵者焉五兵者死之備也非生之具且夫人者天地之鎮也其不可不參乎夫治民者亦唯針焉夫針之與五兵其孰小乎黃帝曰病之生時有喜怒不測飲食不節陰氣不足陽氣有餘營氣不行乃發爲癰疽陰陽不通兩熱相摶乃化爲膿小針能取之乎岐伯曰聖人不能使化者爲之

邪不可留也故兩軍相當旗幟相望白刃陳于中野者此非一日之謀也能使其民令行禁止士卒無白刃之難者非一日之教也須臾之得也夫至使身被癰疽之病膿血之聚者不亦離道遠乎夫癰疽之生膿血之成也不從天下不從地出積微之所生也故聖人自治于未有形也愚者遭其已成也黄帝曰其已形不予遭膿已成不予見爲之柰何岐伯曰膿已成十死一生故聖人弗使已成而明爲良方著之竹帛使能者踵而傳之後世無有終時者爲其不予遭也黄帝曰其已有膿血而後遭乎不導之以小鍼治乎岐伯曰以小治小者其功小以大治大者多害故其已成膿血者其唯砭石鈹鋒之所取也黄帝曰多害者其不可全乎岐伯曰其在逆順焉黄帝曰願聞逆順岐伯曰以爲傷者其白眼青黑眼小是一逆也内藥而嘔者是二逆也腹痛渴甚是三逆也肩項中不便是四逆也音嘶色脱是五逆也除此五者爲順矣黄帝曰諸病皆有逆順可得聞乎岐伯

曰腹脹身熱脈大是一逆也腹鳴而滿四肢清泄其脈大是二
逆也衄而不止脈大是三逆也咳且溲血脫形其脈小勁是四
逆也欬脫形身熱脈小以疾是謂五逆也如是者不過十五日
而死矣其腹大脹四末清脫形泄甚是一逆也腹脹便血其脈
大時絕是二逆也欬溲血形肉脫脈搏是三逆也嘔血胸滿引
背脈小而疾是四逆也欬嘔腹脹且飧泄其脈絕是五逆也如
是者不及一時而死矣工不察此者而刺之是謂逆治黃帝曰
夫子之言針甚駿以配天地上數天文下度地紀內別五藏外
次六府經脈二十八會盡有周紀能殺生人不能起死者子能
反之乎岐伯曰能殺生人不能起死者也黃帝曰余聞之則為
不仁然願聞其道弗行於人岐伯曰是明道也其必然也其如
刀劍之可以殺人如飲酒使人醉也雖勿診猶可知矣黃帝曰
願卒聞之岐伯曰人之所受氣者穀也穀之所注者胃也胃者
水穀氣血之海也海之所行雲氣者天下也胃之所出氣血者

經隧也經隧者五藏六府之大絡也迎而奪之而已矣黄帝曰
上下有數乎岐伯曰迎之五里中道而止五至而已五往而藏
之氣盡矣故五五二十五而竭其輸矣此所謂奪其天氣者也
非能絶其命而傾其壽者也黄帝曰願卒聞之岐伯曰闚門而
刺之者死于家中入門而刺之者死于堂上黄帝曰善乎方明
哉道請著之玉版以爲重寶傳之後世以爲刺禁令民勿敢犯也

○五禁第六十一

黄帝問于岐伯曰余聞刺有五禁何謂五禁岐伯曰禁其不可
刺也黄帝曰余聞刺有五奪岐伯曰無寫其不可奪者也黄帝
曰余聞刺有五過岐伯曰補寫無過其度黄帝曰余聞刺有五
逆岐伯曰病與脉相逆命曰五逆黄帝曰余聞刺有九宜岐伯
曰明知九針之論是謂九宜黄帝曰何謂五禁願聞其不可刺
之時岐伯曰甲乙日自乘無刺頭無發矇于耳内丙丁日自乘
無振埃于肩喉廉泉戊己日自乘四季無刺腹去爪寫水庚辛

日自乗無刺關節于股膝壬癸日自乗無刺足脛是謂五禁黃
帝曰何謂五奪岐伯曰形肉已奪是一奪也大奪血之後是二
奪也大汗出之後是三奪也大泄之後是四奪也新產及大血
之後是五奪也此皆不可寫黃帝曰何謂五逆岐伯曰熱病脉
靜汗已出脉盛躁是一逆也病泄脉洪大是二逆也著痺不移
䐃肉破身熱脉偏絕是三逆也淫而奪形身熱色夭然白及後
下血衃血衃篤重是謂四逆也寒熱奪形脉堅搏是謂五逆也

○動輸第六十二

黃帝曰經脉十二而手太陰足少陰陽明獨動不休何也岐伯
曰是明胃脉也胃爲五藏六府之海其清氣上注于肺肺氣從
太陰而行之其行也以息往來故人一呼脉再動一吸脉亦再
動呼吸不已故動而不止黃帝曰氣之過于寸口也上十焉息
下八焉伏何道從還不知其極岐伯曰氣之離藏也卒然如弓
弩之發如水之下岸上于魚以反衰其餘氣衰散以逆上故其

行微黄帝曰足之陽明何因而動岐伯曰胃氣上注于肺其悍氣上衝頭者循咽上走空竅循眼系入絡腦出顑下客主人循牙車合陽明并下人迎此胃氣別走于陽明者也故陰陽上下其動也若一故陽病而陽脉小者為逆陰病而陰脉大者為逆故陰陽俱靜俱動若引繩相傾者病黄帝曰足少陰何因而動岐伯曰衝脉者十二經之海也與少陰之大絡起于腎下出于氣街循陰股内廉邪入膕中循脛骨内廉並少陰之經下入内踝之後入足下其別者邪入踝出屬跗上入大指之間注諸絡以温足脛此脉之常動者也黄帝曰營衛之行也上下相貫如環之無端今有其卒然遇邪氣及逢大寒手足懈惰其脉陰陽之道相輸之會行相失也氣何由還岐伯曰夫四末陰陽之會者此氣之大絡也四街者氣之徑路也故絡絶則徑通四末解則氣從合相輸如環黄帝曰善此所謂如環無端莫知其紀終而復始此之謂也

○五味論第六十三

黄帝問于少俞曰五味入于口也各有所走各有所病酸走筋多食之令人癃鹹走血多食之令人渴辛走氣多食之令人洞心苦走骨多食之令人變嘔甘走肉多食之令人悗心余知其然也不知其何由願聞其故少俞答曰酸入于胃其氣澁以收上之兩焦弗能出入也不出即留于胃中胃中和溫則下注膀胱膀胱之胞薄以濡得酸則縮綣約而不通水道不行故癃陰者積筋之所終也故酸入而走筋矣黄帝曰鹹走血多食之令人渴何也少俞曰鹹入于胃其氣上走中焦注于脉則血氣走之血與鹹相得則凝〻則胃中汁注之注之則胃中竭〻則咽路焦故舌本乾而善渴血脉者中焦之道也故鹹入而走血矣黄帝曰辛走氣多食之令人洞心何也少俞曰辛入于胃其氣走于上焦上焦者受氣而營諸陽者也薑韭之氣薰之營衛之氣不時受之久留心下故洞心辛與氣俱行故辛入而與汗俱

出黃帝曰苦走骨多食之令人變嘔何也少俞曰苦入于胃五
穀之氣皆不能勝苦苦入下脘三焦之道皆閉而不通故變嘔
齒者骨之所終也故苦入而走骨故入而復出知其走骨也黃
帝曰甘走肉多食之令人悗心何也少俞曰甘入于胃其氣弱
小不能上至于上焦而與穀留于胃中者令人柔潤者也胃柔
則緩緩則蟲動蟲動則令人悗心其氣外通於肉故甘走肉

〇陰陽二十五人第六十四

黃帝曰余聞陰陽之人何如伯高曰天地之間六合之内不離
于五人亦應之故五五二十五人之政而陰陽之人不與焉其
態又不合于衆者五余已知之矣願聞二十五人之形血氣之
所生別而以候從外知内何如歧伯曰悉乎哉問也此先師之
秘也雖伯高猶不能明之也黃帝避席遵循而却曰余聞之得
其人弗教是謂重失得而泄之天將厭之余願得而明之金櫃
藏之不敢揚之歧伯曰先立五形金木水火土別其五色異其

五形之人二十五人具矣黃帝曰願卒聞之岐伯曰慎之慎
之臣請言之 木形之人比於上角似於蒼帝其爲人蒼色小
頭長面大肩背直身小手足好有才勞心少力多憂勞於事能
春夏不能秋冬感而病生足厥陰佗佗然 大角之人比於左
足少陽少陽之上遺遺然 左角之人比於右足少陽少陽之
下隨隨然 一曰少角 釱角之人比於右足少陽少陽之上推推然
一曰右角 判角之人比於左足少陽少陽之下栝栝然 火形之
人比於上徵似於赤帝其爲人赤色廣朋脫面小頭好肩背髀
腹小手足行安地疾心行搖肩背肉滿有氣輕財少信多慮見
事明好顏急心不壽暴死能春夏不能秋冬秋冬感而病生手
少陰核核然 質徵之人比於左手太陽太陽之上肌肌然 一曰
質之人 一曰太徵 少徵之人比於右手太陽太陽之下慆慆然 右
徵之人比於右手太陽太陽之上鮫鮫然 一曰熊熊然 質判之人
比於左手太陽太陽之下支支頤頤然 一曰質徵 土形之人比於

上宮似於上古黃帝其為人黃色圓面大頭美肩背大腹美股脛小手足多肉上下相稱行安地舉足浮安心好利人不喜權勢善附人也能秋冬不能春夏春夏感而病生足太陰敦敦然

○大宮之人比於左足陽明陽明之上婉婉然　加宮之人比於左足陽明陽明之下坎坎然之一曰衆　少宮之人比於右足陽明陽明之上樞樞然　左宮之人比於右足陽明陽明之下兀兀然一曰衆之人一曰陽明之上　金形之人比於上商似於白帝其為人方面白色小頭小肩背小腹小手足如骨發踵外骨輕身清廉急心靜悍善為吏能秋冬不能春夏春夏感而病生手太陰敦敦然　釱商之人比於左手陽明陽明之上廉廉然　右商之人比於左手陽明陽明之下脫脫然　右商之人比於右手陽明陽明之上監監然　少商之人比於右手陽明陽明之下嚴嚴然　水形之人比於上羽似於黑帝其為人黑色面不平大頭廉頤小肩大腹動手足發行搖身下尻長背延延然不敬

畏善欺紿人戮死能秋冬不能春夏春夏感而病生足少陰汙汙然　大羽之人比於右足太陽太陽之上頰頰然　小羽之人比於左足太陽太陽之下紆紆然　衆之爲人比於右足太陽太陽之下潔潔然之佀加　桎之爲人比於左足太陽太陽之上安安然　是故五形之人二十五變者衆之所以相欺者是也黃帝曰得其形不得其色何如岐伯曰形勝色色勝形者至其勝時年加感則病行失則憂矣形色相得者富貴大樂黃帝曰其形色相勝之時年加可知乎岐伯曰凡年忌下上之人大忌常加七歲十六歲二十五歲三十四歲四十三歲五十二歲六十一歲皆人之大忌不可不自安也感則病行失則憂矣當此之時無爲姦事是謂年忌黃帝曰夫子之言脉之上下血氣之候以知形氣柰何岐伯曰足陽明之上血氣盛則髯美長血少氣多則髯短故氣少血多則髯少血氣皆少則無髯兩吻多畫足陽明之下血氣盛則下毛美長至胸血多氣少則下毛

而大短至臍行則善高舉足足指少肉足善寒血少氣多則肉而
善瘃血氣皆少則無毛有則稀枯悴善痿厥足痹足少陽之上
氣血盛則通髯美長血多氣少則通髯美短血少氣多則少髯
血氣皆少則無鬚感於寒濕則善痺骨痛爪枯也足少陽之下
血氣盛則脛毛美長外踝肥血多氣少則脛毛美短外踝皮堅
而厚血少氣多則胻毛少外踝皮薄而軟血氣皆少則無毛外
踝瘦無肉足太陽之上血氣盛則美眉眉有毫毛血多氣少則
惡眉面多少理血少氣多則面多肉血氣和則美色足太陰之
下血氣盛則跟肉滿踵堅氣少血多則瘦跟空血氣皆少則喜
轉筋踵下痛手陽明之上血氣盛則髭美血少氣多則髭惡血
氣皆少則無髭手陽明之下血氣盛則腋下毛美手魚肉以溫
氣血皆少則手瘦以寒手少陽之上血氣盛則眉美以長耳色
美血氣皆少則耳焦惡色手少陽之下血氣盛則手捲多肉以
溫血氣皆少則寒以瘦氣少血多則瘦以多脈手太陽之上血

氣盛則有多鬚面多肉以平血氣皆少則面瘦惡色手太陽之
下血气盛則掌肉充滿血气皆少則掌瘦以寒黃帝曰二十五
人者刺之有約乎岐伯曰美眉者足太陽之脉气血多惡眉者
血气少其肥而澤者血气有餘肥而不澤者气有餘血不足瘦
而无澤者气血俱不足審察其形气有餘不足而調之可以知
逆順矣黃帝曰刺其諸陰陽奈何岐伯曰按其寸口人迎以調
陰陽切循其經絡之凝澀結而不通者此於身皆為痛痺甚則
不行故凝澀凝澀者致气以溫之血和乃止其結絡者脉結血
不和決之乃行故曰气有餘於上者導而下之气不足於上者
推而休之其稽留不至者因而迎之必明於經隧乃能持之寒
與熱爭者導而行之其宛陳血不結者則而予之必先明知二
十五人則血气之所在左右上下刺約畢也

歛大惛 䗩刀 鮫交 胻杭 瘃蝢玉

黄帝素問靈樞集註卷之九

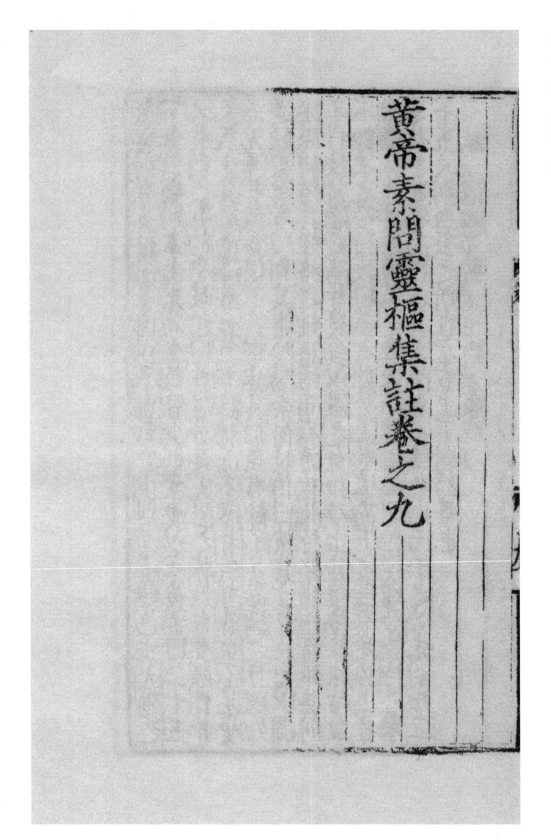

黄帝素問靈樞集註卷之十

○五音五味第六十五

右徵与少徵調右手大陽上　左商与左徵調左手陽明上
少徵与大宮調左手陽明上　右角与大角調右足少陽下
大徵与少徵調左手大陽上　衆羽与少羽調右足大陽下
少商与右商調右手大陽下　桎羽与衆羽調右足大陽下
少宮与大宮調右足陽明下　判角与少角調右足少陽下
釱商与上商調右足陽明下　釱商与上角調左足大陽下
上徵与右徵同穀麥畜羊果杏
手少陽藏心色赤味苦時夏
上羽與大羽同穀大豆畜彘果栗
足少陰藏腎色黑味鹹時冬
上宮與大宮同穀稷畜牛果棗

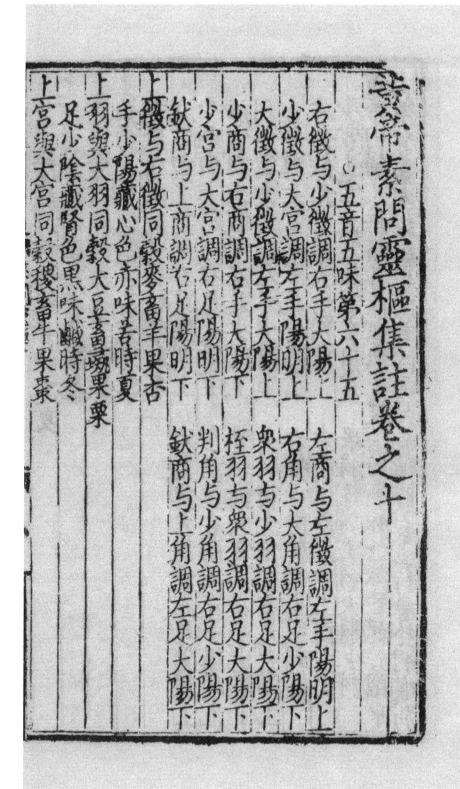

足太陰藏脾色黃味甘時季夏
上商與右商同穀黍畜雞果桃
手太陰藏肺色白味辛時秋
上角與大角同穀麻畜犬果李
足厥陰藏肝色青味酸時春
大宮與上角同右足陽明上　左角與大角同左足陽明上
少羽與大羽同右足太陽下　左商與右商同左手陽明上
加宮與大宮同左足少陽上　質判與大宮同左手太陽下
判角與大角同左足少陽下　大羽與大角同右足太陽上
大角與大宮同右足少陽上　右徵少徵質徵上徵判徵
右角釱角上角大角判角　右商少商釱商上商左商
少宮上宮大宮加宮左角宮　衆羽桎羽上羽大羽少羽
黃帝曰婦人無鬚者無血氣乎岐伯曰衝脉任脉皆起於胞中
上循背裏為經絡之海其浮而外者循腹右上行會於咽喉別

而絡唇口。血氣盛則充膚熱肉，血獨盛則澹滲皮膚，生毫毛。今婦人之生，有餘於氣，不足於血，以其數脫血也，衝任之脈，不榮口唇，故鬚不生焉。黃帝曰：士人有傷於陰，陰氣絕而不起，陰不用，然其鬚不去，其故何也？宦者獨去，何也？願聞其故。岐伯曰：宦者去其宗筋，傷其衝脈，血寫不復，皮膚內結，唇口不榮，故鬚不生。黃帝曰：其有天宦者，未嘗被傷，不脫於血，然其鬚不生，其故何也？岐伯曰：此天之所不足也，其任衝不盛，宗筋不成，有氣無血，唇口不榮，故鬚不生。黃帝曰：善乎哉！聖人之通萬物也，若日月之光影，音聲鼓響，聞其聲而知其形，其非夫子，孰能明萬物之精。是故聖人視其顏色，黃赤者多熱氣，青白者少熱氣，黑色者多血少氣。美眉者太陽多血，通髯極鬚者少陽多血，美鬚者陽明多血，此其時然也。夫人之常數，太陽常多血少氣，少陽常多氣少血，陽明常多血多氣，厥陰常多氣少血，少陰常多血少氣，太陰常多血少氣，此天之常數也。

百病始生第六十六

黄帝問于岐伯曰夫百病之始生也皆生於風雨寒暑清濕喜怒喜怒不節則傷藏風雨則傷上清濕則傷下三部之氣所傷異類願聞其會岐伯曰三部之氣各不同或起於陰或起於陽請言其方喜怒不節則傷藏藏傷則病起於陰也清濕襲虛則病起於下風雨襲虛則病起於上是謂三部至於其淫泆不可勝數黄帝曰余固不能數故問先師願卒聞其道岐伯曰風雨寒熱不得虛邪不能獨傷人卒然逢疾風暴雨而不病者蓋無虛故邪不能獨傷人此必因虛邪之風與其身形兩虛相得乃客其形兩實相逢衆人肉堅其中於虛邪也因於天時與其身形參以虛實大病乃成氣有定舍因處爲名上下中外分爲三員是故虛邪之中人也始於皮膚皮膚緩則腠理開開則邪從毛髮入入則抵深深則毛髮立毛髮立則淅然故皮膚痛留而不去則傳舍於絡脉在絡之時痛於肌肉其痛之時息大經乃

代留而不去傳舍於經在經之時洒淅喜驚留而不去傳舍於
輸在輸之時六經不通四肢則肢節痛腰脊乃強留而不去傳
舍於伏衝之脈在伏衝之時體重身痛留而不去傳舍於腸胃
在腸胃之時賁響腹脹多寒則腸鳴飧泄食不化多熱則溏出
糜留而不去傳舍於腸胃之外募原之間留著於脈稽留而不
去息而成積或著孫脈或著絡脈或著經脈或著輸脈或著於
伏衝之脈或著於膂筋或著於腸胃之募原上連於緩筋邪氣
淫泆不可勝論黃帝曰願盡聞其所由然岐伯曰其著孫絡之
脈而成積者其積往來上下臂手孫絡之居也浮而緩不能句
積而止之故往來移行腸胃之間水湊滲注灌濯濯有音有寒
則䐜䐜滿雷引故時切痛其著於陽明之經則挾臍而居飽食
則益大飢則益小其著於緩筋也似陽明之積飽食則痛飢則
安其著於腸胃之募原也痛而外連於緩筋飽食則安飢則痛
其著於伏衝之脈者揣之應手而動發手則熱氣下於兩股如

湯沃之狀其著於膂筋在腸後者飢則積見飽則積不見按之
不得其著於輸之脈者閉塞不通津液不下孔竅乾壅此邪氣
之從外入內從上下也黃帝曰積之始生至其已成奈何岐伯
曰積之始生得寒乃生厥乃成積也黃帝曰其成積奈何岐伯
曰厥氣生足悗悗生脛寒脛寒則血脈凝澀血脈凝澀則寒氣
上入於腸胃入於腸胃則䐜脹䐜脹則腸外之汁沫迫聚不得
散日以成積卒然多食飲則腸滿起居不節用力過度則絡脈
傷陽絡傷則血外溢血外溢則衄血陰絡傷則血內溢血內溢
則後血腸胃之絡傷則血溢於腸外腸外有寒汁沫與血相搏
則并合凝聚不得散而積成矣卒然外中於寒若內傷於憂怒
則氣上逆氣上逆則六輸不通溫氣不行凝血蘊裹而不散津
液澀滲著而不去而積皆成矣黃帝曰其生於陰者奈何岐伯
曰憂思傷心重寒傷肺忿怒傷肝醉以入房汗出當風傷脾用
力過度若入房汗出浴則傷腎此內外三部之所生病者也黃

帝曰善治之柰何岐伯荅曰察其所痛以知其應有餘不足當補則補當寫則寫毋逆天時是謂至治

○行鍼第六十七

黃帝問于岐伯曰余聞九鍼於夫子而行之於百姓百姓之血氣各不同形或神動而氣先鍼行或氣與鍼相逢或鍼以出氣獨行或數刺乃知或發鍼而氣逆或數刺病益劇凡此六者各不同形願聞其方岐伯曰重陽之人其神易動其氣易往也黃帝曰何謂重陽之人岐伯曰重陽之人熇熇高高言語善疾舉足善高心肺之藏氣有餘陽氣滑盛而揚故神動而氣先行黃帝曰重陽之人而神不先行者何也岐伯曰此人頗有陰者也黃帝曰何以知其頗有陰也岐伯曰多陽者多喜多陰者多怒數怒者易解故曰頗有陰其陰陽之離合難故其神不能先行也黃帝曰其氣與鍼相逢柰何岐伯曰陰陽和調而血氣淖澤滑利故鍼入而氣出疾而相逢也黃帝曰鍼已出而氣獨行者

何氣使然岐伯曰其陰氣多而陽氣少陰氣沉而陽氣浮者內藏故針已出氣乃隨其後故獨行也黃帝曰數刺乃知何氣使然岐伯曰此人之多陰而少陽其氣沉而氣往難故數刺乃知也黃帝曰針入而氣逆者何氣使然岐伯曰其氣逆與其數刺病益甚者非陰陽之氣浮沉之勢也此皆粗之所敗上之所失其形氣無過焉

上膈第六十八

黃帝曰氣為上膈者食飲入而還出余已知之矣蟲為下膈下膈者食晬時乃出余未得其意願卒聞之岐伯曰喜怒不適食飲不節寒溫不時則寒汁流於腸中流於腸中則蟲寒蟲寒則積聚守於下管則腸胃充郭衛氣不營邪氣居之人食則蟲上食蟲上食則下管虛下管虛則邪氣勝之積聚以留留則癰成癰成則下管約其癰在管內者即而痛深其癰在外者則癰外而痛浮癰上皮熱黃帝曰刺之柰何岐伯曰微按其癰視氣所

行先淺刺其傍稍内益深還而刺之毋過三行察其沉浮以爲深淺已刺必熨令熱入中日使熱内邪氣益衰大癰乃潰伍以參禁以除其内恬憺無爲乃能行氣後以鹹苦化穀乃下矣

潰音會

○憂恚無言第六十九

黄帝問於少師曰人之卒然憂恚而言無音者何道之塞何氣出行使音不彰願聞其方少師荅曰咽喉者水穀之道也喉嚨者氣之所以上下者也會厭者音聲之户也口脣者音聲之扇也舌者音聲之機也懸雍垂者音聲之關也頏顙者分氣之所泄也横骨者神氣所使主發舌者也故人之鼻洞涕出不收者頏顙不開分氣失也是故厭小而疾薄則發氣疾其開闔利其出氣易其厭大而厚則開闔難其氣出遲故重言也人卒然無音者寒氣客于厭則厭不能發發不能下至其開闔不致故無音黄帝曰刺之柰何岐伯曰足之少陰上繫於舌絡於横骨終

於會厭兩寫其血脉濁氣乃辟會厭之脉上絡任脉取之天突
其厭乃發也
○寒熱第七十
黄帝問于岐伯曰寒熱瘰癧在於頸腋者皆何氣使生岐伯曰
此皆鼠瘻寒熱之毒氣也留於脉而不去者也黄帝曰去之柰
何岐伯曰鼠瘻之本皆在於藏其末上出於頸腋之間其浮於
脉中而未内著於肌肉而外爲膿血者易去也黄帝曰去之柰
何岐伯曰請從其本引其末可使衰去而絶其寒熱審按其道
以予之徐往徐來以去之其小如麥者一刺知三刺而已黄帝
曰決其生死柰何岐伯曰反其目視之其中有赤脉上下貫瞳
子見一脉一歲死見一脉半一歲半死見二脉二歲死見二脉
半二歲半死見三脉三歲而死見赤脉不下貫瞳子可治也
○邪客第七十一
黄帝問于伯高曰夫邪氣之客人也或令人目不瞑不卧出者

何氣使然伯高曰五穀入于胃也其糟粕津液宗氣分為三隧
故宗氣積于胸中出于喉嚨以貫心脈而行呼吸焉營氣者泌
其津液注之於脈化以為血以榮四末內注五藏六府以應刻
數焉衛氣者出其悍氣之慓疾而先行於四末分肉皮膚之間
而不休者也晝日行於陽夜行於陰常從足少陰之分間行於
五藏六府今厥氣客於五藏六府則衛氣獨衛其外行於陽不
得入於陰行於陽則陽氣盛陽氣盛則陽蹻陷不得入於陰陰
虛故目不瞑黃帝曰善治之奈何伯高曰補其不足寫其有餘
調其虛實以通其道而去其邪飲以半夏湯一劑陰陽已通其
臥立至黃帝曰善此所謂決瀆壅塞經絡大通陰陽和得者也
願聞其方伯高曰其湯方以流水千里以外者八升揚之萬遍
取其清五升煮之炊以葦薪火沸置秫米一升治半夏五合徐
炊令竭為一升半去其滓飲汁一小盃日三稍益以知為度故
其病新發者覆杯則臥汗出則已矣久者三飲而已也黃帝問

於伯高曰願聞人之肢節以應天地柰何伯高荅曰天圓地方人頭圓足方以應之天有日月人有兩目地有九州人有九竅天有風雨人有喜怒天有雷電人有音声天有四時人有四肢天有五音人有五藏天有六律人有六府天有冬夏人有寒熱天有十日人有手十指辰有十二人有足十指莖垂以應之女子不足二節以抱人形天有陰陽人有夫妻歲有三百六十五日人有三百六十節地有高山人有肩膝地有深谷人有腋膕地有十二經水人有十二經脉地有[illegible]人有衛氣地有草蓂人有毫毛天有晝夜人有臥起天有列星人有牙齒地有小山人有小節地有山石人有高骨地有林木人有募筋地有聚邑人有䐃肉歲有十二月人有十二節地有四時不生草人有無子此人與天地相應者也黃帝問于岐伯曰余願聞持針之數內針之理縱舍之意扞皮開腠理柰何脉之屈折出入之處焉至而出焉至而止焉至而徐焉至而疾焉至而入六府之輸於

身者余願盡聞少序別離之處離而入陰別而入陽此何道而
從行願盡聞其方岐伯曰帝之所問鍼道畢矣黃帝曰願卒聞
之岐伯曰手太陰之脉出於大指之端內屈循白肉際至本節
之後大淵留以澹外屈上於本節下內屈與陰諸絡會於魚際
數脉并注其氣滑利伏行壅骨之下外屈出於寸口而行上至
於肘內廉入於大筋之下內屈上行臑陰入腋下內屈走肺此
順行逆數之屈折也心主之脉出於中指之端內屈循中指內
廉以上留於掌中伏行兩骨之間外屈出兩筋之間骨肉之際
其氣滑利上二寸外屈出行兩筋之間上至肘內廉入於小筋
之下留兩骨之會上入於胸中內絡於心脉黃帝曰手少陰之
脉獨無腧何也岐伯曰少陰心脉也心者五藏六府之大主也
精神之所舍也其藏堅固邪弗能容也容之則心傷心傷則神
去神去則死矣故諸邪之在於心者皆在於心之包絡包絡者
心主之脉也故獨無腧焉黃帝曰少陰獨無腧者不病乎岐伯

曰其外經病而藏不病故獨取其經於掌後銳骨之端其餘脉
出入屈折其行之徐疾皆如手少陰心主之脉行也故本腧者
皆因其氣之虛實疾徐以取之是謂因衝而寫因衰而補如是
者邪氣得去真氣堅固是謂因天之序黄帝曰持針縱舍柰何
岐伯曰必先明知十二經脉之本末皮膚之寒熱脉之盛衰滑
濇其脉滑而盛者病日進虛而細者久以持大以濇者爲痛痺
陰陽如一者病難治其本末尚熱者病尚在其熱以衰者其病
亦去矣持其尺察其肉之堅脆小大滑濇寒温燥濕因視目之
五色以知五藏而決死生視其血脉察其色以知其寒熱痛痺
黄帝曰持針縱舍余未得其意也岐伯曰持針之道欲端以正
安以靜先知虛實而行疾徐左手執骨右手循之無與肉果寫
欲端以正補必閉膚輔針導氣邪得淫泆真氣得居黄帝曰扞
皮開腠理柰何岐伯曰因其分肉左別其膚微内而徐端之適
神不散邪氣得去黄帝問於岐伯曰人有八虛各何以候岐伯

答曰以候五藏黃帝曰候之奈何岐伯曰肺心有邪其氣留於兩肘肝有邪其氣流于兩腋脾有邪其氣留于兩髀腎有邪其氣留于兩膕凡此八虛者皆機關之室真氣之所過血絡之所遊邪氣惡血固不得住留住留則傷筋絡骨節機關不得屈伸故病攣也

郄䐃音窘 扞䐃音旱 痀音句

○通天第七十二

黃帝問于少師曰余嘗聞人有陰陽何謂陰人何謂陽人少師曰天地之間六合之內不離於五人亦應之非徒一陰一陽而已也而略言耳口弗能徧明也黃帝曰願略聞其意有賢人聖人心能備而行之乎少師曰蓋有太陰之人少陰之人太陽之人少陽之人陰陽和平之人凡五人者其態不同其筋骨氣血各不等黃帝曰其不等者可得聞乎少師曰太陰之人貪而不仁下齊湛湛好內而惡出心和而不發不務於時動而後之此

太陰之人也　少陰之人小貪而賊心見人有亡常若有得好
傷好害見人有榮乃反慍怒心疾而無恩此少陰之人也
太陽之人居處于于好言大事無能而虛說志發於四野舉措
不顧是非為事如常自用事雖敗而常無悔此太陽之人也
少陽之人諟諦好自貴有小小官則高自宜好為外交而不內
附此少陽之人也　陰陽和平之人居處安靜無為懼々無為
欣欣婉然從物或與不爭與時變化尊則謙々譚而不治是謂
至治古之善用針艾者視人五態乃治之盛者寫之虛者補之
黃帝曰治人之五態柰何少師曰太陰之人多陰而無陽其陰
血濁其衛氣澀陰陽不和緩筋而厚皮不之疾寫不能移之
少陰之人多陰少陽小胃而大腸六府不調其陽明脉小而太
陽脉大必審調之其血易脫其氣易敗也　太陽之人多陽而
少陰必謹調之無脫其陰而寫其陽々重脫者易狂陰陽皆脫
者暴死不知人也　少陽之人多陽少陰經小而絡大血在中

而氣外實陰而虛陽獨寫其絡脉則強氣脫而疾中氣不足病不起也

陰陽和平之人其陰陽之氣和血脉調謹診其陰陽視其邪正安容儀審有餘不足盛則寫之虛則補之不盛不虛以經取之此所以調陰陽別五態之人者也黃帝曰夫五態之人者相與毋故卒然新會未知其行也何以別之少師答曰衆人之屬不如五態之人者故五五二十五人而五態之人不與焉五態之人尤不合於衆者也黃帝曰別五態之人柰何少師曰太陰之人其狀黮〻然黑色念然下意臨〻然長大膕然未僂此太陰之人也

少陰之人其狀清然竊然固以陰賊立而躁嶮行而似伏此少陰之人也

太陽之人其狀軒〻儲〻反身折膕此太陽之人也

少陽之人其狀立則好仰行則好搖其兩臂兩肘則常出於背此少陽之人也

陰陽和平之人其狀委委然隨〻然顒〻然愉〻然暶〻然豆豆然衆人皆曰君子此陰陽和平之人也

黄帝素問靈樞集註卷之十

黄帝素問靈樞集註卷之十一

○官能第七十三

黄帝問于岐伯曰余聞九針於夫子衆多矣不可勝數余推而論之以為一紀余司誦之子聽其理非則語余請正其道令可久傳後世無患得其人乃傳非其人勿言岐伯稽首再拜曰請聽聖王之道黄帝曰用針之理必知形氣之所在左右上下陰陽表裏血氣多少行之逆順出入之合謀伐有過知解結知補虚寫實上下氣門明通於四海審其所在寒熱淋露以輸異處審於調氣明於經隧左右肢絡盡知其會寒與熱爭能合而調之虚與實鄰知決而通之左右不調犯而行之明於逆順乃知可治陰陽不奇故知起時審於本末察其寒熱得邪所在萬刺不殆知官九針刺道畢矣明於五輸徐疾所在屈伸出入皆有條理言陰與陽合於五行五藏六府亦有所藏四時八風盡有

陰陽各得其位合於明堂各處色部五藏六府察其所痛左右
上下知其寒温何經所在審皮膚之寒温滑澀知其所苦膈有
上下知其氣所在先得其道稀而疎之稍深以留故能徐入之
大熱在上推而下之從下上者引而去之視前痛者常先取之
大寒在外留而補之入於中者從合瀉之針所不爲灸之所宜
上氣不足推而揚之下氣不足積而從之陰陽皆虛火自當之
厥而寒甚骨廉陷下寒過於膝下陵三里陰絡所過得之留止
寒入於中推而行之經陷下者火則當之結絡堅緊火所治之
不知所苦兩蹻之下男陰女陽良工所禁針論畢矣用針之服
必有法則上視天光下司八正以辟奇邪而觀百姓審於虛實
無犯其邪是得天之露遇歲之虛救而不勝反受其殃故曰必
知天忌乃言針意法於往古驗於來今觀於窈冥通於無窮粗
之所不見良工之所貴莫知其形若神髣髴邪氣之中人也洒
淅動形正邪之中人也微先見於色不知於其身若存若無若

亡若存有形無形莫知其情是故上工之取氣乃救其萌芽下
工守其已成因敗其形是故工之用針也知氣之所在而守其
門戶明於調氣補寫所在徐疾之意所取之處寫必用員切而
轉之其氣乃行疾而徐出邪氣乃出伸而迎之遙大其穴氣出
乃疾補必用方外引其皮令當其門左引其樞右推其膚微旋
而徐推之必端以正安以靜堅心無解欲微以留氣下而疾出
之推其皮蓋其外門真氣乃存用針之要無忘其神雷公問於
黃帝曰針論曰得其人乃傳非其人勿言何以知其可傳黃帝
曰各得其人任之其能故能明其事雷公曰願聞官能柰何黃
帝曰明目者可使視色聰耳者可使聽音捷疾辭語者可使傳
論語徐而安靜手巧而心審諦者可使行針艾理血氣而調諸
逆順察陰陽而兼諸方緩節柔筋而心和調者可使導引行氣
疾毒言語輕人者可使唾癰呪病爪苦手毒為事善傷者可使
按積抑痹各得其能方乃可行其名乃彰不得其人其功不成

其師無名故曰得其人乃言非其人勿傳此之謂也手毒者可
使試按龜置龜於器下而按其上五十日而死矣手甘者復生
如故也

出入之合一作鮮把而行之而一本迣作狃窈冥冥冥一本作

○論疾診尺第七十四

黃帝問于岐伯曰余欲無視色持脈獨調其尺以言其病從外
知內為之柰何岐伯曰審其尺之緩急小大滑濇肉之堅脆而
病形定矣視人之目窠上微癰如新臥起狀其頸脈動時欬按
其手足上窅而不起者風水膚脹也尺膚滑其淖澤者風也尺
肉弱者解㑊安臥脫肉者寒熱不治尺膚滑而澤脂者風也尺
膚濇者風痹也尺膚麤如枯魚之鱗者水泆飲也尺膚熱甚脈
盛躁者病溫也其脈盛而滑者病且出也尺膚寒其脈小者泄
少氣尺膚炬然先熱後寒者寒熱也尺膚先寒久大之而熱者
亦寒熱也肘所獨熱者腰以上熱手所獨熱者腰以下熱肘前

獨熱者膺前熱肘後獨熱者肩背熱臂中獨熱者腰腹熱肘後
麁以下三四寸熱者腸中有虫掌中熱者腹中熱掌中寒者腹
中寒魚上白肉有青血脈者胃中有寒尺炬然熱人迎大者當
奪血尺堅大脈小甚少氣悗有加立死目赤色者病在心白在
肺青在肝黃在脾黑在腎黃色不可名者病在胸中診目痛赤
脈從上下者太陽病從下上者陽明病從外走內者少陽病診
寒熱赤脈上下至瞳子見一脈一歲死見一脈半一歲半死見
二脈二歲死見二脈半二歲半死見三脈三歲死診齲齒痛按
其陽之來有過者獨熱在左左熱在右右熱在上上熱在下下
熱診血脈者多赤多熱多青多痛多黑為久痺多赤多黑多青
皆見者寒熱身痛而色微黃齒垢黃爪甲上黃黃疸也安臥小
便黃赤脈小而濇者不嗜食人病其寸口之脈與人迎之脈小
大等及其浮沉等者病難已也女子手少陰脈動甚者妊子嬰
兒病其頭毛皆逆上者必死耳間青脈起者掣痛大便赤瓣飧

泄脉小者手足寒難已飧泄脉小手足温泄易已四時之變寒暑之勝重陰必陽重陽必陰故陰主寒陽主熱故寒甚則熱熱甚則寒故曰寒生熱熱生寒此陰陽之變也故曰冬傷於寒春生癉熱春傷於風夏生後泄腸澼夏傷於暑秋生痎瘧秋傷於濕冬生咳嗽是謂四時之序也

目窠科音 眚音省 煩悗 許 赤 齒齦 切 掣尺制切

痎瘧上音皆瘧也

○刺節真邪第七十五

黃帝問于岐伯曰余聞刺有五節柰何岐伯曰固有五節一曰振埃二曰發矇三曰去爪四曰徹衣五曰解惑黃帝曰夫子言五節余未知其意岐伯曰振埃者刺外經去陽病也發矇者刺府輸去府病也去爪者刺關節肢絡也徹衣者盡刺諸陽之奇輸也解惑者盡知調陰陽補瀉有餘不足相傾移也黃帝曰刺節言振埃夫子乃言刺外經去陽病余不知其所謂也願卒聞之

岐伯曰振埃者陽氣大逆上滿於胸中憤瞋肩息大氣逆上喘喝坐伏病惡埃煙䭇不得息請言振埃尚疾於振埃黃帝曰善取之何如岐伯曰取之天容黃帝曰其欬上氣窮詘胸痛者取之奈何岐伯曰取之廉泉黃帝曰取之有數乎岐伯曰取天容者無過一里取廉泉者血變而止帝曰善哉黃帝曰刺節言發矇余不得其意夫發矇者耳無所聞目無所見夫子乃言刺府輸去府病何輸使然願聞其故岐伯曰妙乎哉問也此刺之大約針之極也神明之類也口說書卷猶不能及也請言發矇耳尚疾於發矇也黃帝曰善願卒聞之岐伯曰刺此者必於日中刺其聽宮中其眸子声聞於耳此其輸也黃帝曰善何謂声聞於耳岐伯曰刺邪以手堅按其兩鼻竅而疾偃其声必應於針也黃帝曰善此所謂弗見爲之而無目視見而取之神明相得者也黃帝曰刺節言去爪夫子乃言刺關節肢絡願卒聞之岐伯曰腰脊者身之大關節也肢脛者人之管以趨翔也莖垂者

身中之機陰精之候津液之道也故飲食不節喜怒不時津液
內溢乃下留於睪血道不通日大不休俛仰不便趨翔不能此
病滎然有水不上不下鈹石所取形不可匿常不得蔽故命曰
去爪帝曰善黃帝曰刺節言徹衣夫子乃言盡刺諸陽之奇輸
未有常處也願卒聞之岐伯曰是陽氣有餘而陰氣不足陰氣
不足則內熱陽氣有餘則外熱內熱相搏熱於懷炭外畏綿帛
近不可近身又不可近席腠理閉塞則汗不出舌焦脣槁腊乾
嗌燥飲食不讓美惡黃帝曰善取之奈何岐伯曰取之於其天
府大杼三痏又刺中膂以去其熱補足手太陰以去其汗熱去
汗稀疾於徹衣黃帝曰善黃帝曰刺節言解惑夫子乃言盡知
調陰陽補瀉有餘不足相傾移也惑何以解之岐伯曰大風在
身血脈偏虛虛者不足實者有餘輕重不得傾側宛伏不知東
西不知南北乍上乍下乍反乍覆顛倒無常甚於迷惑黃帝曰
善取之奈何岐伯曰瀉其有餘補其不足陰陽平復用針若此

疾於解惑黃帝曰善請藏之靈蘭之室不敢妄出也黃帝曰余聞刺有五邪何謂五邪岐伯曰病有持癰者有容大者有狹小者有熱者有寒者是謂五邪黃帝曰刺五邪奈何岐伯曰凡刺五邪之方不過五章痺熱消滅腫聚散亡寒痺益溫小者益陽大者必去請道其方凡刺癰邪無迎隴易俗移性不得膿脆道更行去其鄉不安處所乃散亡諸陰陽過癰者取之其輸寫之凡刺大邪日以小泄奪其有餘乃益虛剽其通針其邪肌肉親視之毋有反其真刺諸陽分肉間凡刺小邪日以大補其不足乃無害視其所在迎之界遠近盡至其不得外侵而行之乃自費刺分肉間凡刺熱邪越而蒼出遊不歸乃無病為開通辟門戶使邪得出病乃已凡刺寒邪日以溫徐往徐來致其神門戶已閉氣不分虛實得調其氣存也黃帝曰官針奈何岐伯曰刺癰者用鈹針刺大者用鋒針刺小者用員利針刺熱者用鑱針刺寒者用毫針也請言解論與天地相應與四時相副人參天

地故可為解下有漸洳上生葦蒲此所以知形氣之多少也陰
陽者寒暑也熱則滋雨而在上根荄少汁人氣在外皮膚緩腠
理開血氣減汗大泄皮淖澤寒則地凍水冰人氣在中皮膚緻
腠理閉汗不出血氣強肉堅濇當是之時善行水者不能往冰
善穿地者不能鑿凍善用針者亦不能取四厥血脈凝結堅搏
不往來者亦未可即柔故行水者必待天溫冰釋凍解而水可
行地可穿也人脈猶是也治厥者必先熨調和其經掌與腋肘
與腳項與脊以調之火氣已通血脈乃行然後視其病脈淖澤
者刺而平之堅緊者破而散之氣下乃止此所謂以解結者也
用針之類在於調氣氣積於胃以通營衛各行其道宗氣留於
海其下者注於氣街其上者走於息道故厥在於足宗氣不下
脈中之血凝而留止弗之火調弗能取之用針者必先察其經
絡之實虛切而循之按而彈之視其應動者乃後取之而下之
六經調者謂之不病雖病謂之自已也一經上實下虛而不通

者此必有横絡盛加於大經令之不通視而寫之此所謂解結也上寒下熱先刺其項太陽久留之已刺則熨項與肩胛令熱下合乃止此所謂推而上之者也上熱下寒視其虛脉而陷之於經絡者取之氣下乃止此所謂引而下之者也大熱徧身狂而妄見妄聞妄言視足陽明及大絡取之虛者補之血而實者寫之因其偃卧居其頭前以兩手四指挾按頸動脉久持之卷而切推下至缺盆中而復止如前熱去乃止此所謂推而散之者也黄帝曰有一脉生數十病者或痛或癰或熱或寒或痒或痺或不仁變化無窮其故何也岐伯曰此皆邪氣之所生也黄帝曰余聞氣者有眞氣有正氣有邪氣何謂眞氣岐伯曰眞氣者所受於天與穀氣并而充身也正氣者正風也從一方來非實風又非虛風也邪氣者虛風之賊傷人也其中人也深不能自去正風者其中人也淺合而自去其氣來柔弱不能勝眞氣故自去虛邪之中人也洒淅動形起毫毛而發腠理其入深内

搏於骨則為骨痺搏於筋則為筋攣搏於脈中則為血閉不通
則為癰搏於肉與衛氣相搏陽勝者則為熱陰勝者則為寒寒
則真氣去去則虛虛則寒搏於皮膚之間其氣外發腠理開毫
毛搖氣往來行則為癢留而不去則痺衛氣不行則為不仁虛
邪偏客於身半其入深內居榮衛榮衛稍衰則真氣去邪氣獨
留發為偏枯其邪氣淺者脈偏痛虛邪之入於身也深寒與熱
相搏久留而內著寒勝其熱則骨疼肉枯熱勝其寒則爛肉腐
肌為膿內傷骨內傷骨為骨蝕有所疾前筋筋屈不得伸邪氣
居其間而不反發於筋溜有所結氣歸之衛氣留之不得反津
液久留合而為腸溜久者數歲乃成以手按之柔已有所結氣
歸之津液留之邪氣中之凝結日以易甚連以聚居為昔瘤以
手按之堅有所結深中骨氣因於骨骨與氣并日以益大則為
骨疽有所結中於肉宗氣歸之邪留而不去有熱則化而為膿
無熱則為肉疽凡此數氣者其發無常處而有常名也

餡音臽 窮音求 謏下音蘇 腨音喘 亦 剽其 妙音妙 漸 䐗上音 濡下音 樧 揣 窣 別 泉

○衛氣行第七十六

黄帝問於岐伯曰願聞衛氣之行出入之合何如伯高曰歲有十二月日有十二辰子午為經卯酉為緯天周二十八宿而一面七星四七二十八星房昴為緯虛張為經是故房至畢為陽昴至尾為陰陽主晝陰主夜故衛氣之行一日一夜五十周於身晝日行於陽二十五周夜行於陰二十五周周於五歲是故平旦陰盡陽氣出於目目張則氣上行於頭循項下足太陽循背下至小指之端其散者別於目銳眥下手太陽下至手小指之間外側其散者別於目銳眥下足少陽注小指次指之間以上循手少陽之分側下至小指之間別者以上至耳前合於頷脉注足陽明以下行至跗上入五指之間其散者從耳下下手陽明入大指之間入掌中其至於足也入足心出内踝下行陰分復合於目故為一周是故日行一舍人氣行一周與十分身

之八日行二舍人氣行二周於身與十分身之六日行三舍人氣行於身五周與十分身之四日行四舍人氣行於身七周與十分身之二日行五舍人氣行於身九周日行六舍人氣行於身十周與十分身之八日行七舍人氣行於身十二周在身與十分身之六日行十四舍人氣二十五周於身有奇分與十分身之四陽盡於陰陰受氣矣其始入於陰常從足少陰注於腎腎注於心心注於肺肺注於肝肝注於脾脾復注於腎為周是故夜行一舍人氣行於陰藏一周與十分藏之八亦如陽行之二十五周而復合於目陰陽一日一夜合有奇分十分身之四與十分藏之二是故人之所以臥起之時有早晏者奇分不盡故也黃帝曰衛氣之在於身也上下往來不以期候氣而刺之奈何伯高曰分有多少日有長短春秋冬夏各有分理然後常以平旦為紀以夜盡為始是故一日一夜水下百刻二十五刻者半日之度也常如是毋已日入而止隨日之長短各以為紀

而刺之謹候其時病可與期失時反候者百病不治故曰刺實者刺其來也刺虛者刺其去也此言氣存亡之時以候虛實而刺之是故謹候氣之所在而刺之是謂逢時在於三陽必候其氣在於陽而刺之病在於三陰必候其氣在陰分而刺之水下一刻人氣在太陽水下二刻人氣在少陽水下三刻人氣在陽明水下四刻人氣在陰分水下五刻人氣在太陽水下六刻人氣在少陽水下七刻人氣在陽明水下八刻人氣在陰分水下九刻人氣在太陽水下十刻人氣在少陽水下十一刻人氣在陽明水下十二刻人氣在陰分水下十三刻人氣在太陽水下十四刻人氣在少陽水下十五刻人氣在陽明水下十六刻人氣在陰分水下十七刻人氣在太陽水下十八刻人氣在少陽水下十九刻人氣在陽明水下二十刻人氣在陰分水下二十一刻人氣在太陽水下二十二刻人氣在少陽水下二十三刻人氣在陽明水下二十四刻人氣在陰分水下二十五刻人氣

在太陽此半日之度也從房至畢一十四舍水下五十刻日行半度迴行一舍水下三刻與七分刻之四大要曰常以日之加於宿上也人氣在太陽是故日行一舍人氣行三陽行與陰分常如是無已天與地同紀紛紛盼盼終而復始一日一夜水下百刻而盡矣 [illegible]披大素暗音義 一云音巴切

○九宮八風第七十七

合八風虛實邪正

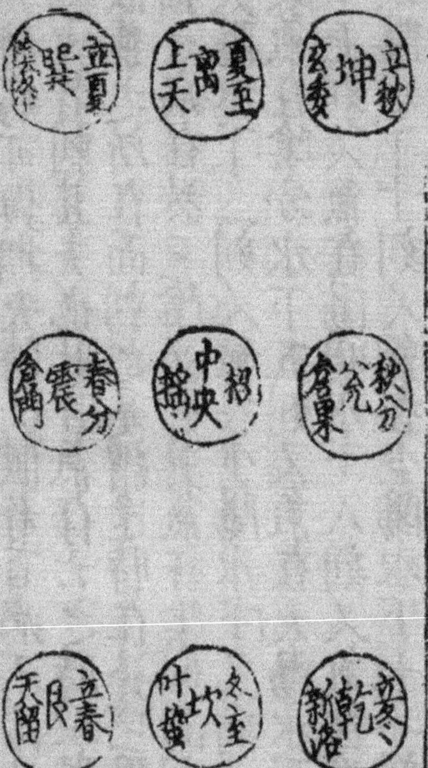

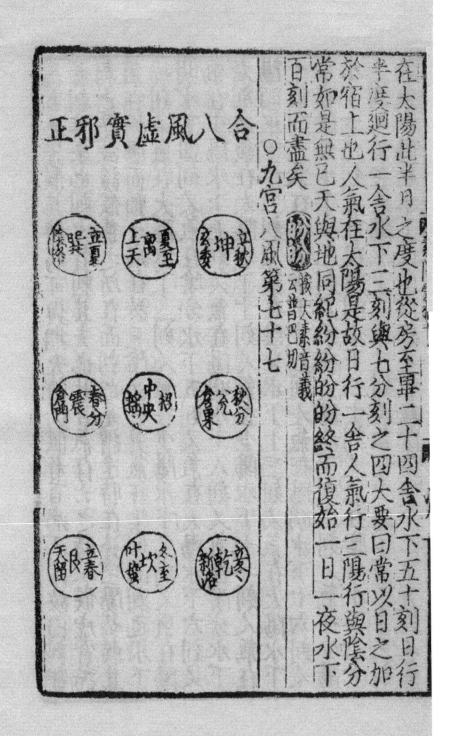

立秋二 玄委 西南方　秋分七 倉果 西方　立冬六 新洛 西北方

夏至九 上天 南方　招搖 中央　冬至一 叶蟄 北方

立夏四 陰洛 東南方　春分三 倉門 東方　立春八 天留 東北方

太一常以冬至之日居叶蟄之宮四十六日明日居天留四十六日明日居倉門四十六日明日居陰洛四十五日明日居天宮四十六日明日居玄委四十六日明日居倉果四十六日明日居新洛四十五日明日復居叶蟄之宮曰冬至矣太一日游以冬至之日居叶蟄之宮數所在日從一處至九日復反於一常如是無已終而復始太一移日天必應之以風雨以其日風雨則吉歲美民安少病矣先之則多雨後之則多汗太一在冬至之日有變占在君太一在春分之日有變占在相太一在中宮之日有變占在吏太一在秋分之日有變占在將太一在夏至之日有變占在百姓所謂有變者太一居五宮之日病風折樹木揚沙石各以其所主占貴賤因視風所從來而占之風從

其所居之鄉來爲實風主生長養萬物從其衝後來爲虛風傷
人者也主殺主害者謹候虛風而避之故聖人日避虛邪之道
如避矢石然邪弗能害此之謂也是故太一入徙立於中宮乃
朝八風以占吉凶也風從南方來名曰大弱風其傷人也內舍
於心外在於脉氣主熱風從西南方來名曰謀風其傷人也內
舍於脾外在於肌其氣主爲弱風從西方來名曰剛風其傷人
也內舍於肺外在於皮膚其氣主爲燥風從西北方來名曰折
風其傷人也內舍於小腸外在於手太陽脉脉絕則溢脉閉則
結不通善暴死風從北方來名曰大剛風其傷人也內舍於腎
外在於骨與肩背之膂筋其氣主爲寒也風從東北方來名曰
凶風其傷人也內舍於大腸外在於兩脇腋骨下及肢節風從
東方來名曰嬰兒風其傷人也內舍於肝外在於筋紐其氣主
爲身濕風從東南方來名曰弱風其傷人也內舍於胃外在肌
肉其氣主體重此八風皆從其虛之鄉來乃能病人三虛相搏

則爲暴病卒死兩實一虚病則爲淋露寒熱犯其兩濕之地則爲痿故聖人避風如避矢石焉其有三虚而偏中於邪風則爲擊仆偏枯矣

黄帝素問靈樞集註卷之十一

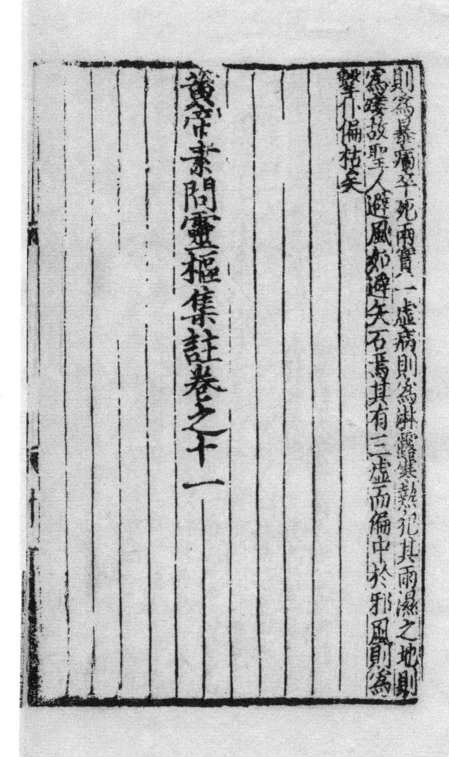

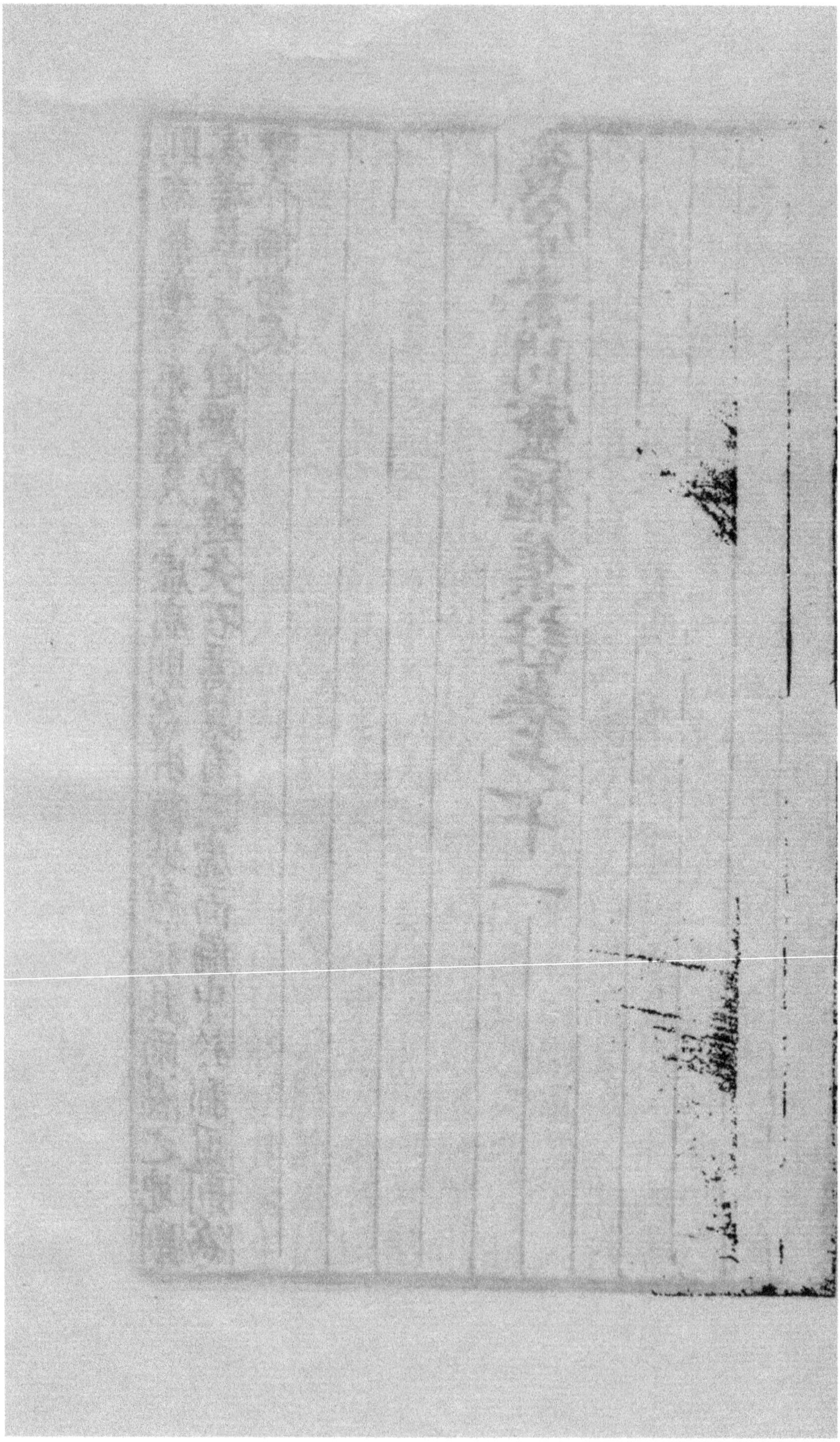

黃帝內經素問靈樞集註卷之十二

○九針論第七十八

黃帝曰余聞九針於夫子衆多博大矣余猶不能寤敢問九針焉生何因而有名岐伯曰九針者天地之大數也始於一而終於九故曰一以法天二以法地三以法人四以法時五以法音六以法律七以法星八以法風九以法野黃帝曰以針應九之數奈何岐伯曰夫聖人之起天地之數也一而九之故以立九野九而九之九九八十一以起黃鍾數焉以針應數也一者天也天者陽也五藏之應天者肺肺者五藏六府之蓋也皮者肺之合也人之陽也故為之治針必以大其頭而銳其末令無得深入而陽氣出二者地也人之所以應土者肉也故為之治針必筩其身而員其末令無得傷肉分傷則氣得竭三者人也人之所以成生者血脉也故為之治針必大其身而員其末令可

以按脈勿陷以致其氣令邪氣獨出四者時也時者四時八風
之客於經絡之中為瘤病者也故為之治針必筩其身而鋒其
末令可以瀉熱出血而痼病竭五者音也音者冬夏之分分於
子午陰與陽別寒與熱爭兩氣相搏合為癰膿者也故為之治
針必令其末如劍鋒可以取大膿六者律也律者調陰陽四時
而合十二經脈虛邪客於經絡而為暴痹者也故為之治針必
令尖如氂且員且銳中身微大以取暴氣七者星也星者人之
七竅邪之所客於經而為痛痹舍於經絡者也故為之治針令
尖如蚊虻喙靜以徐往微以久留正氣因之真邪俱往出針而
養者也八者風也風者人之股肱八節也八正之虛風八風傷
人內舍於骨解腰脊節腠理之間為深痹也故為之治針必長
其身鋒其末可以取深邪遠痹九者野也野者人之節解皮膚
之間也淫邪流溢於身如風水之狀而溜不能過於機關大節
者也其為之治針令小大如挺其鋒微員以取大氣之不能過

於關節者也黃帝曰針之長短有數乎岐伯曰一曰鑱針者取法於巾針去末寸半卒銳之長一寸六分主熱在頭身也二曰貟針取法於絮針筩其身而卵其鋒長一寸六分主治分間氣三曰鍉針取法於黍粟之銳長三寸半主按脈取氣令邪出四曰鋒針取法於絮針筩其身鋒其末長一寸六分主癰熱出血五曰鈹針取法於劍鋒廣二分半長四寸主大癰膿兩熱爭者也六曰貟利針取法於氂針微大其末反小其身令可深內也長一寸六分主取癰痺者也七曰毫針取法於毫毛長一寸六分主寒熱痛痺在絡者也八曰長針取法於綦針長七寸主取深邪遠痺者也九曰大針取法於鋒針其鋒微貟長四寸主取大氣不出關節者也針形畢矣此九針大小長短法也黃帝曰願聞身形應九野奈何岐伯曰請言身形之應九野也左足應立春其日戊寅己丑左脇應春分其日乙卯左手應立夏其日戊辰己巳膺喉首頭應夏至其日丙午右手應立秋其日戊申

己未右脇應秋分其日辛酉右足應立冬其日戊戌己亥腰尻下竅應冬至其日壬子六府膈下三藏應中州其大禁大禁太一所在之日及諸戊己凡此九者善候八正所在之處所主左右上下身體有癰腫者欲治之無以其所直之日潰治之是謂天忌日也形樂志苦病生於脉治之以灸刺形苦志樂病生於筋治之以熨引形樂志樂病生於肉治之以鍼石形苦志苦病生於咽喝治之以甘藥形數驚恐筋脉不通病生於不仁治之以按摩醪藥是謂形五藏氣心主噫肺主欬肝主語脾主吞腎主欠六府氣膽爲怒胃爲氣逆噦大腸小腸爲泄膀胱不約爲遺溺下焦溢爲水五味酸入肝辛入肺苦入心甘入脾鹹入腎淡入胃是謂五味五并精氣并肝則憂并心則喜并肺則悲并腎則恐并脾則畏是謂五精之氣并於藏也五惡肝惡風心惡熱肺惡寒腎惡燥脾惡濕此五藏氣所惡也五液心主汗肝主泣肺主涕腎主唾脾主涎此五液所出也五勞久視傷血久卧

傷氣久坐傷肉久立傷骨久行傷筋此五久勞所病也五走酸
走筋辛走氣苦走血鹹走骨甘走肉是謂五走也五裁病在筋
無食酸病在氣無食辛病在骨無食鹹病在血無食苦病在肉
無食甘口嗜而欲食之不可多也必自裁也命曰五裁五發陰
病發於骨陽病發於血以味發於氣陽病發於冬陰病發於夏
五邪邪入於陽則為狂邪入於陰則為血痹邪入於陽轉則為
癲疾邪入於陰轉則為瘖陽入之於陰病靜陰出之於陽病喜
怒五藏心藏神肺藏魄肝藏魂脾藏意腎藏精志也五主心主
脉肺主皮肝主筋脾主肌腎主骨陽明多血多氣太陽多血少
氣少陽多氣少血太陰多血少氣厥陰多血少氣少陰多氣少
血故曰刺陽明出血氣刺太陽出血惡氣刺少陽出氣惡血刺
太陰出血惡氣刺厥陰出血惡氣刺少陰出氣惡血也足陽明
太陰為表裏少陽厥陰為表裏太陽少陰為表裏是謂足之陰
陽也手陽明太陰為表裏少陽心主為表裏太陽少陰為表裏

是謂手之陰陽也

箭音同鍉針音低中針一本作鈽鍼五走五疾五裁素問作五禁

○歲露論第七十九

黃帝問於岐伯曰經言夏日傷暑秋病瘧瘧之發以時其故何也岐伯對曰邪客於風府病循膂而下衛氣一日一夜常大會於風府其明日日下一節故其日作晏此其先客於脊背也故每至於風府則腠理開腠理開則邪氣入邪氣入則病作此所以日作尚晏也衛氣之行風府日下一節二十一日下至尾底二十二日入脊內注於伏衝之脈其行九日出於缺盆之中其氣上行故其病稍益至其內搏於五藏橫連募原其道遠其氣深其行遲不能日作故次日乃稸積而作焉黃帝曰衛氣每至於風府腠理乃發發則邪入焉其衛氣日下一節則不當風府柰何岐伯曰風府無常衛氣之所應必開其腠理氣之所舍節則其府也黃帝曰善夫風之與瘧也相與同類而風常在而瘧

特以時休何也岐伯曰風氣留其處虛氣隨經絡沉以内搏故
衛氣應乃作也帝曰善黄帝問於少師曰余聞四時八風之中
人也故有寒暑寒則皮膚急而腠理閉暑則皮膚緩而腠理開
賊風邪氣因得以入乎將必須八正虛邪乃能傷人乎少師答
曰不然賊風邪氣之中人也不得以時然必因其開也其入深
其内極病其病人也卒暴因其閉也其入淺以留其病也徐以
遲黄帝曰有寒溫和適腠理不開然有卒病者其故何也少師
答曰帝弗知邪入乎雖平居其腠理開閉緩急其故常有時也
黄帝曰可得聞乎少師曰人與天地相參也與日月相應也故
月滿則海水西盛人血氣積肌肉充皮膚緻毛髮堅腠理郄煙
垢著當是之時雖遇賊風其入淺不深至其月郭空則海水東
盛人氣血虛其衛氣去形獨居肌肉減皮膚縱腠理開毛髮殘
膲理薄煙垢落當是之時遇賊風則其入深其病人也卒暴黄
帝曰其有卒然暴死暴病者何也少師答曰三虛者其死暴疾

也得三實者邪不能傷人也黄帝曰願聞三虚少師曰乘年之衰逢月之空失時之和因爲賊風所傷是謂三虚故論不知三虚工反爲粗帝曰願聞三實少師曰逢年之盛遇月之滿得時之和雖有賊風邪氣不能危之曰黄帝曰善乎哉論明乎哉道請藏之金匱命曰三實然此一夫之論也黄帝曰願聞歲之所以皆同病者何因而然少師曰此八正之候也黄帝曰候之柰何少師曰候此者常以冬至之日太一立於叶蟄之宮其至也天必應之以風雨者矣風雨從南方來者爲虚風賊傷人者也其以夜半至也萬民皆卧而弗犯也故其歲民小病其以晝至者萬民懈惰而皆中於虚風故萬民多病虚邪入客於骨而不發於外至其立春陽氣大發腠理開因立春之日風從西方來萬民又皆中於虚風此兩邪相搏經氣結代者矣故諸逢其風而遇其雨者命曰遇歲露焉因歲之和而少賊風者民少病而少死歲多賊風邪氣寒温不和則民多病而死矣黄帝曰虚邪

之風其所傷貴賤何如候之柰何少師荅曰正月朔日太一居天留之宮其日西北風不雨人多死矣正月朔日平旦北風春民多死正月朔日平旦北風行民病多者十有三也正月朔日日中北風夏民多死正月朔日夕時北風秋民多死終日北風大病死者十有六正月朔日風從南方來命曰旱鄉從西方來命曰白骨將國有殃人多死亡正月朔日風從東方來發屋揚沙石國有大災也正月朔日風從東南方行春有死亡正月朔天利溫不風糴賤民不病天寒而風糴貴民多病此所謂候歲之風戕傷人者也二月丑不風民多心腹病三月戌不溫民多寒熱四月巳不暑民多癉病十月申不寒民多暴死諸所謂風者皆發屋折樹木揚沙石起毫毛發腠理者也

理　郄乞逆

○大惑論第八十

黃帝問於岐伯曰余嘗上於清泠之臺中階而顧匍匐而前則

惑余私異之竊內怪之獨瞑獨視安心定氣久而不解獨博獨
眩披髮長跪俛而視之後久之不已也卒然自上何氣使然岐
伯對曰五藏六府之精氣皆上注於目而為之精精之窠為眼
骨之精為瞳子筋之精為黑眼血之精為絡其窠氣之精為白
眼肌肉之精為約束裹擷筋骨血氣之精而與脈并為系上屬
於腦後出於項中故邪中於項因逢其身之虛其入深則隨眼
系以入於腦入於腦則腦轉腦轉則引目系急目系急則目眩
以轉矣邪其精其精所中不相比也則精散精散則視岐視岐
見兩物目者五藏六府之精也營衛魂魄之所常營也神氣之
所生也故神勞則魂魄散志意亂是故瞳子黑眼法於陰白眼
赤脈法於陽也故陰陽合傳而精明也目者心使也心者神之
舍也故神精亂而不轉卒然見非常處精神魂魄散不相得故
曰惑也黃帝曰余疑其然余每之東苑未曾不惑去之則復余
唯獨為東苑勞神乎何其異也岐伯曰不然也心有所喜神有

所惡卒然相惑則精氣亂視誤故惑神移乃復是故間者為迷甚者為惑黃帝曰人之善忘者何氣使然岐伯曰上氣不足下氣有餘腸胃實而心肺虛虛則營衛留於下久之不以時上故善忘也黃帝曰人之善飢而不嗜食者何氣使然岐伯曰精氣并於脾熱氣留於胃胃熱則消穀穀消故善飢胃氣逆上則胃脘寒故不嗜食也黃帝曰病而不得卧者何氣使然岐伯曰衛氣不得入於陰常留於陽留於陽則陽氣滿陽氣滿則陽蹻盛不得入於陰則陰氣虛故目不瞑矣黃帝曰病目而不得視者何氣使然岐伯曰衛氣留於陰不得行於陽留於陰則陰氣盛陰氣盛則陰蹻滿不得入於陽則陽氣虛故目閉也黃帝曰人之多卧者何氣使然岐伯曰此人腸胃大而皮膚濕而分肉不解焉腸胃大則衛氣留久皮膚濕則分肉不解其行遲夫衛氣者晝日常行於陽夜行於陰故陽氣盡則卧陰氣盡則寤故腸胃大則衛氣行留久皮膚濕分肉不解則行遲留於陰也久其

氣不精則欲瞑故多臥矣其腸胃小皮膚滑以緩分肉解利衛
氣之留於陽也久故少瞑焉黃帝曰其非常經也卒然多臥者
何氣使然岐伯曰邪氣留於上焦上焦閉而不通已食若飲湯
衛氣留久於陰而不行故卒然多臥焉黃帝曰善治此諸邪柰
何岐伯曰先其藏府誅其小過後調其氣盛者寫之虛者補之
必先明知其形志之苦樂定乃取之 衰[illegible]切 [illegible]神分切 丈

○癰疽第八十一

黃帝曰余聞腸胃受穀上焦出氣以溫分肉而養骨節通腠理
中焦出氣如露上注谿谷而滲孫脉津液和調變化而赤爲血
血和則孫脉先滿溢乃注於絡脉皆盈乃注於經脉陰陽已張
因息乃行行有經紀周有道理與天合同不得休止切而調之
從虛去實寫則不足疾則氣減留則先後從實去虛補則有餘
血氣已調形氣乃持余已知血氣之平與不平未知癰疽之所
從生成敗之時死生之期有遠近何以度之可得聞乎岐伯曰

經脈留行不止與天同度與地合紀故天宿失度日月薄蝕地
經失紀水道流溢草萓不成五穀不殖徑路不通民不往來巷
聚邑居則別離異處血氣猶然請言其故夫血脈營衛周流不
休上應星宿下應經數寒邪客於經絡之中則血泣血泣則不
通不通則衛氣歸之不得復反故癰腫寒氣化為熱熱勝則腐
肉肉腐則為膿膿不寫則爛筋筋爛則傷骨骨傷則髓消不當
骨空不得泄寫血枯空虛則筋骨肌肉不相榮經脈敗漏熏於
五藏藏傷故死矣黃帝曰願盡聞癰疽之形與忌曰名岐伯曰
癰發於嗌中名曰猛疽猛疽不治化為膿膿不寫塞咽半日死
其化為膿者寫則合豕膏冷食三日而已發於頸名曰夭疽其
癰大以赤黑不急治則熱氣下入淵腋前傷任脈內熏肝肺熏
肝肺十餘日而死矣陽留大發消腦留項名曰腦爍其色不樂
項痛而如刺以鍼煩心者死不可治發於肩及臑名曰疵癰其
狀赤黑急治之此令人汗出至足不害五藏癰發四五日逞焫

之發於腋下赤堅者名曰米疽治之以砭石欲細而長踈砭之
塗已豕膏六日已勿裹之其癰堅而不潰者爲馬刀挾纓急治
之發於胷名曰井疽其狀如大豆三四日起不早治下入腹不
治七日死矣發於膺名曰甘疽色青其狀如穀實菰蓏常苦寒
熱急治之去其寒熱十歲死死後出膿發於脇名曰敗疵敗疵
者女子之病也灸之其病大癰膿治之其中乃有生肉大如赤
小豆剉蔆翹草根各一升以水一斗六升煑之竭爲取三升則
強飲厚衣坐於釜上令汗出至足已發於股脛名曰股脛疽其
狀不甚變而癰膿搏骨不急治三十日死矣發於尻名曰鋭疽
其狀赤堅大急治之不治三十日死矣發於股陰名曰赤施不
急治六十日死在兩股之內不治十日而當死發於膝名曰疵
癰其狀大癰色不變寒熱如堅石勿石石之者死須其柔乃石
之者生諸癰疽之發於節而相應者不可治也發於陽者百日
死發於陰者三十日死發於脛名曰兎齧其狀赤至骨急治之

不治害人也發於內踝名曰走緩其狀癰也色不變數石其輸
而止其寒熱不死發於足上下名曰四淫其狀大癰急治之百
日死發於足傍名曰厲癰其狀不大初如小指發急治之去其
黑者不消輒益不治百日死發於足指名曰脫癰其狀赤黑死不
治不赤黑不死不衰急斬之不則死矣黃帝曰夫子言癰疽何
以別之岐伯曰營衛稽留於經脉之中則血泣而不行不行則
衛氣從之而不通壅遏而不得行故熱大熱不止熱勝則肉腐
肉腐則為膿然不能陷骨髓不為燋枯五藏不為傷故命曰癰
黃帝曰何謂疽岐伯曰熱氣淳盛下陷肌膚筋髓枯內連五藏
血氣竭當其癰下筋骨良肉皆無餘故命曰疽疽者上之皮夭
以堅上如牛領之皮癰者其皮上薄以澤此其候也
草萓魚肌切 血泣音澁 訴數古括切又𧶠字 臑奴到切又音儒 菱翹力升切
不則九上切蝺府 夭不音朏幺色也

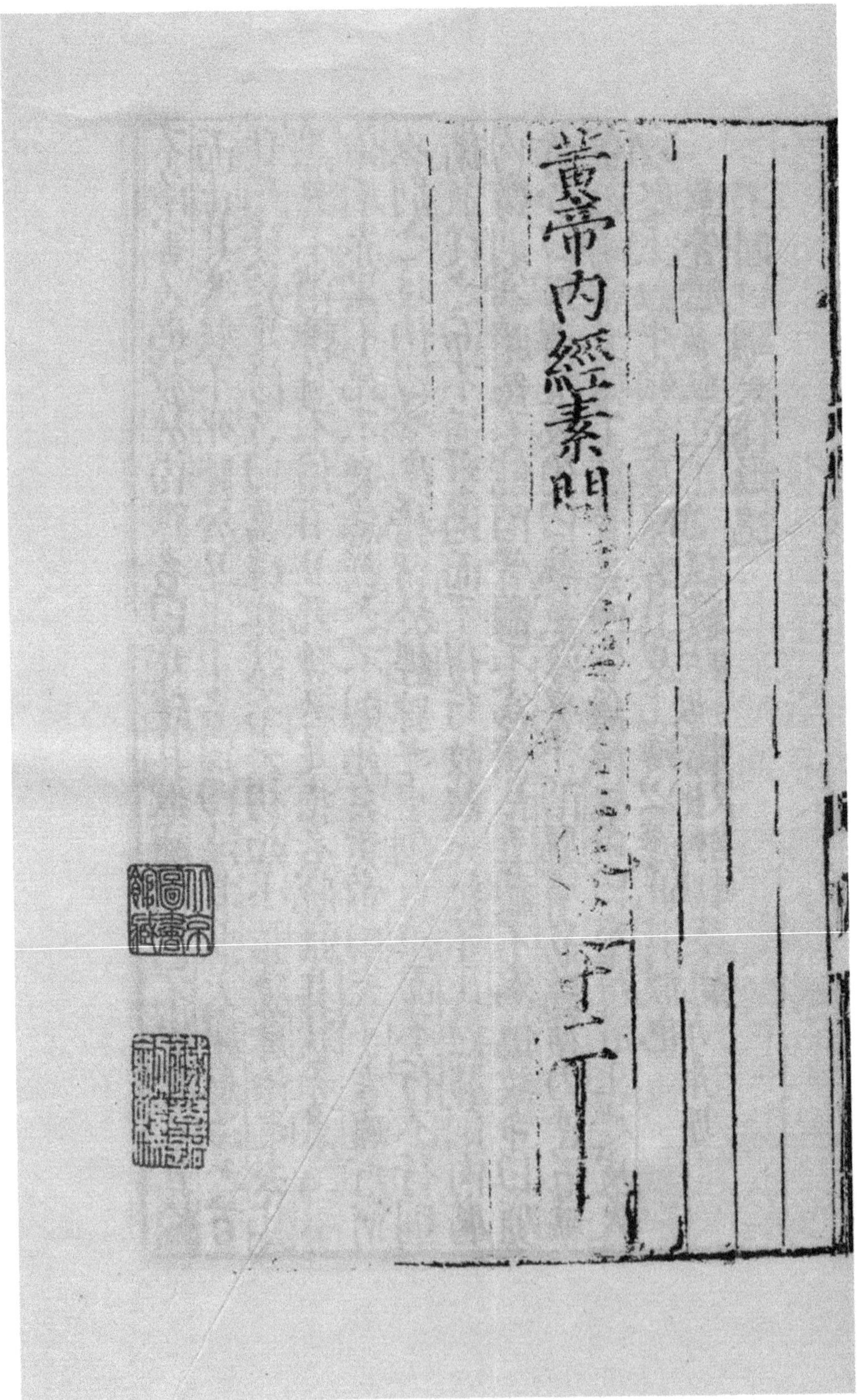
黃帝內經素問

仁和寺本《黃帝内經明堂》

解題　錢超塵

解　題

楊上善著述頗豐，醫術類除《黄帝内經太素》（以下簡稱《太素》）三十卷外，尚有《黄帝内經明堂類成》（以下簡稱《明堂類成》）十三卷。『黄帝内經明堂序』云：『《太素》陳其宗旨，《明堂》表其形見，是猶天一地二，亦漸通其妙物焉。』二者相爲表裏，相輔相成，注文互補，爲姊妹篇。

一　《太素》《明堂類成》是姊妹篇

《明堂》是我國古代關於鍼灸理論、經脉理論、鍼灸宜忌等集經脉理論與鍼灸實踐於一體的醫學經典著作。

醫學何以謂之明堂？『明堂』一詞，釋義紛紛。大别有二：儒家謂天子發布政令之宫室（宫室建制失傳。清代汪中《述學·内篇第一·明堂通釋》有明堂圖）；醫家在采用『天子發布政令之宫室』説之同時，又稱鼻或目爲『明堂』。醫經所以稱爲『明堂』者，取『天子發布政令之宫室』義。人之經絡，周布全身，四體百節，動静喜樂，無不决以經絡。經絡之於人體，猶天子之於臣民，故稱醫經爲『明堂』。楊上善『黄帝内經明堂序』已明言之：

人之秀異，得自中和，雖四體百節，必有攸繫。而五藏六府，咸存厥司，在於十二經脉。身之綱領，是猶玉繩分晷，而寒暑不訛；金樞總轡，而晦明是隔。

經脉爲一身綱領，『猶玉繩分晷』『金樞總轡』，使晦明攸分，寒暑有序，猶如天子之發布政令然。《太素》與《明堂類成》關係至爲密切。『《太素》陳其宗旨』者，謂《太素》陳述生理、病理、經脉、治療等重大醫學理論；『《明堂》表其形見』者，謂《明堂類成》將《太素》之理論如經脉之走向、經脉之聯繫、每條經脉諸腧穴之主治等以圖形展而示之。《太素》卷十三『經筋』楊上善注云：

十二經筋與十二經脉，俱稟三陰三陽行於手足，故分爲十二。但十二經脉，主於血氣，内營五藏六府，外營頭身四支。十二經筋，内行胸腹郭中，不入五藏六府。脉有經脉、絡脉，筋有大筋、小筋、膜筋。十二經筋起處，與十二經脉流注，並起於四末。然所起處，有同有別。其有起維筋緩筋等，皆是大筋别名。凡十二筋起處、結處，及循結之處，皆撰爲圖畫示人，上具如别傳。（《太素》，人民衛生出版社，一九六五，頁二一九。下同，只出頁碼）

《太素》卷十『經脉』『任脉、衝脉皆起於胞中，上循脊裏，爲經絡海。』楊上善注：

《明堂》言：目下巨窌、承泣，左右四穴，有陽蹻脉、任脉之會。則知任脉亦有分歧上行者也。又任衝二脉上行，雖别行處終始，其經是同也。舊來爲圖，任脉唯爲一道，衝脉分脉兩箱，此亦不可依也。

按，『皆撰爲圖畫示人』即《明堂》的重要特點，楊上善注『撰爲圖畫示人，上具如别傳』，即是指《明堂》繪有人體經脉偃側圖形。至今《太平聖惠方》卷九十九、卷一百《明堂》尚保留經脉圖形。

楊上善《太素》之注與《明堂類成》注相互補充，繁簡互足。卷十一『本輸』云：

入於尺澤。尺澤者，肘中之動脉也，爲合，手太陽經也。楊上善注：如水出井，以至海爲合，脉出指井，至此合於本藏之氣，故名爲合。解餘十輸，皆仿於此。諸輸穴名義，已《明堂》具釋也。

按，《明堂類成》手太陰肺經有『中府』『天府』等十個穴名，其命名原因，命名含義，楊注訓解極佳，而於《太素》注中不釋，或所釋較簡。如卷十一『本輸』『肺出少商。少商者，手大指内側也，爲井。』楊注：

井者，古者以泉源出水之處爲井也。掘地得水之後，仍以本爲名，故曰井也。

而於《明堂類成》『肺出少商，爲井，木也』楊上善注云：

太古人家未有井時，泉源出水之處，則稱爲井者，出水之處也。五藏六府十二經脉，以上下行，出於四末，故第一穴所出之處，譬之爲井。五藏之脉是陰，生於陽地，終於陰地，故井出爲木，滎流爲火，輸注爲土，經行爲金，合入爲水。六府爲陽，生於陰地，終於陽地，故井出爲金，滎流爲水，輸注爲木，所過爲原。原者三膲，總有六府陽氣也。經行爲火，合入爲土也。五藏之井，皆出於木。木，少陽相主，至水爲合也。足厥陰者，玉英之陰，在於中膲，起手太陰也。

按，此注不僅解釋了『井』的命名特點、含義，而且解釋了與『井』有關的『滎』『輸』『經』『合』的含義及其相互關係，較《太素》之訓釋詳備。

《明堂類成》楊注，亦時時與《太素》原文與注釋相呼應。如『中府』穴注：『五藏六府欬狀，如《太素》説之。』『列缺』穴注：『傷寒熱病，具以論者，如《太素經》。』

《明堂類成》與《太素》之關係，誠如『黄帝内經明堂序』所言，確爲『猶天一地二』，密不可分，明於此而互求，則可『漸通其妙物焉』。

二 《明堂》學發展簡況

『明堂』之稱，《漢書·藝文志》不載，其書當始出漢代，至漢末乃爲醫家寶重。皇甫謐於魏甘露中（二五六—二六〇）始將《明堂孔穴鍼灸治要》收入《鍼灸甲乙經》。『鍼灸甲乙經序』云：

又有《明堂孔穴鍼灸治要》，皆黄帝岐伯遺事也。三部同歸，文多重複，錯互非一。甘露中，吾病風加苦聾，百日方治，要皆淺近，乃撰集三部，使事類相從，删其浮辭，除其重複，論其精要，至爲十二卷。

觀序謂『三部同歸，文多重複』，『《明堂孔穴鍼灸治要》皆黄帝岐伯遺事』，則《明堂孔穴鍼灸治要》在《九卷》（即《靈樞》）、《素問》基礎上將鍼灸理論、實踐、經脉綜彙於一，配以經脉圖形及每條經脉所屬穴位、穴位主治而成之醫學經典著作。以其成於《九卷》《素問》基礎之上，故『三部同歸』——三書的理論歸趨相同；『文多重複』——《明堂孔穴鍼灸治要》之語多出自《九卷》《素問》（觀《明堂》手太陰肺經原文可知）；『皆黄帝岐伯遺事』——與《九卷》《素問》相同。《鍼灸甲乙經》保存了我國古代《明堂孔穴鍼灸治要》古書最原始資料，惜分散各章，割裂太甚，已難窺其完整無損之原貌。

魏晋以降至南北朝，『明堂』一類書籍大量涌現，《太素》注略有記述。卷十一『氣穴』楊上善注云：

黄帝取人身體三百六十五穴，亦法三百六十五日。身體之上，移於分寸，左右差異，取病之輸，實亦不少。至如《扁鵲灸經》，取穴及名字，即大有不同。近代《秦承祖明堂》《曹氏灸經》等，所承别本處所及名，亦皆有異，而除疴遺疾，又復不少。正可以智量之，適病爲用，不可全言非也。

按，秦承祖，東晋至劉宋之際人。《大唐六典》影印本卷十四《太常寺》之『醫博士一人』條云：『宋元嘉二十年(四四三)，太醫令秦承祖奏置醫學，以廣教授。至三十年省。』楊注云：『秦承祖有《明堂》一書，今不傳。』《隋書·經籍志》著録：『秦承祖《偃側雜鍼灸經》三卷。亡。』從書名觀之，此亦『明堂』類著作，但不知與《秦承祖明堂》係一書否。楊注又云：『所承别本處所及名亦皆有異，而除疴遺疾，又復不少。』知秦承祖及《曹氏灸經》作者撰寫書籍時，曾參閲同類有關别本書籍，而『别本』所標示某條經脉上之穴位的處所及穴位名稱，與二書有異，但『除疴遺疾，又復不少』，因此不必指責『别本』皆非。由是觀之，在《秦承祖明堂》之前，亦即在兩晋時代，有不少『明堂』著作流傳，惜皆亡佚。

南朝齊梁間，『明堂』著作益加發展，蔚爲大觀。《隋書·經籍志》云：

(一)梁有《明堂流注》六卷。亡。

(二)梁有《明堂孔穴》二卷。亡。

(三)《明堂孔穴》五卷。

(四)《明堂孔穴圖》三卷。

(五)《明堂孔穴圖》三卷。注：『梁有《偃側圖》八卷，又《偃側圖》二卷(按，《偃側圖》爲明堂類書籍，以有正面、背面、側面圖形，故名。)

(六)秦承祖《偃側雜鍼灸經》三卷。亡。

（七）梁有《新撰鍼灸穴》一卷。亡。

（八）梁有徐悦、龍銜素《鍼經並孔穴蝦蟆圖》三卷。亡。

《隋書·經籍志》以梁阮孝緒目録著作《七録》及《隋大業正御書目》爲基礎編録。注云『亡』者，謂唐初編纂《隋書·經籍志》時已亡；未著『亡』字者，爲當時尚存其書。南朝至隋，是『明堂』類著作大量產生之時代，書皆有人形圖，故又名『偃側圖』『孔穴圖』。

『明堂』之書，至唐發展尤爲迅速，新著日多，《舊唐書·經籍志》《新唐書·藝文志》醫家類特劃分出『明堂』一小類加以著録。《舊唐書·經籍志》云：

（一）《黄帝三部鍼經》十三卷。（按，即《鍼灸甲乙經》）

（二）《赤烏神鍼經》一卷。張子存撰。

（三）《黄帝明堂經》三卷。

（四）《明堂圖》三卷。注：秦承祖撰。

（五）《龍銜素鍼經並孔穴蝦蟆圖》三卷。（按，《隋書·經籍志》『黄帝鍼經九卷』條下注云：『徐悦、龍銜素《鍼經並孔穴蝦蟆圖》三卷。亡。』而《舊唐書·經籍志》著録之，是此書其時未亡也。）

（六）《黄帝内經明堂》十三卷。

（七）《黄帝十二經脉明堂五藏圖》一卷。

（八）《黄帝十二經明堂偃側圖》十二卷。

（九）《黄帝明堂》三卷。

（十）《黄帝内經明堂類成》十三卷。注：楊上善撰。
（十一）《黄帝明堂經》三卷。注：楊玄孫撰注。
按，據《舊唐書·經籍志序》云：『近書采長安之上，神龍以來未録。』『長安』是武則天年號（七〇一—七〇四），『神龍』是中宗李顯年號（七〇五—七〇七）。《舊唐書·經籍志》收録之『近書』——唐人著作，只收録到『長安』末年（七〇四），七〇五年及其後著作未加著録。『神龍』以後出現之唐人著作，著録於《新唐書·藝文志》。以下是《新唐書·藝文志》明堂類著録之著作：
（一）張子存《赤烏神鍼經》一卷。
（二）龍銜素《鍼經並孔穴蝦蟆圖》三卷。
（三）《黄帝明堂經》三卷。
（四）《黄帝明堂》三卷。
（五）楊玄注《黄帝明堂經》三卷。
（六）《黄帝内經明堂》十三卷。
（七）《黄帝十二經脉明堂五藏圖》一卷。
（八）《曹氏黄帝十二經明堂偃側人圖》十二卷。
（九）秦承祖《明堂圖》三卷。
（十）《明堂孔穴》五卷。
（十一）楊上善注《黄帝内經明堂類成》十三卷。

（十二）《明堂人形圖》一卷。

（十三）米遂《明堂論》一卷。

（十四）皇甫謐《黄帝三部鍼經》十二卷。

（十五）《黄帝雜注鍼經》一卷。（按，《隋書・經籍志》在『黄帝鍼經九卷』下注云：『《雜鍼經》四卷，亡。』而《新唐書・藝文志》著録《黄帝雜注鍼經》一卷，疑即《隋書・經籍志》『雜鍼經』之殘卷。）

《新唐書・藝文志》亦爲『通志』體，即通記古今圖書目録及其著者，與《舊唐書・經籍志》所不同者，它增加了唐中宗李顯以後的唐人著作，亦補録了武則天『長安』以前漏録的唐人著作及古人著作。《新唐書・藝文志》著録的明堂類著作，不僅比《隋書・經籍志》著録的明堂類著作豐富許多，而且也比《舊唐書・經籍志》著録的明堂類著作增加了許多。尤應注意者，此時出現了一部綜論『明堂』的理論性著作，即米遂的《明堂論》。此書在北宋《崇文總目》（今有輯佚本）中已無，則《明堂論》當散失於唐末五代。今雖不可知其詳細内容，但從書名中尚可推知是一部關於『明堂』的理論著作，它的出現，標志着『明堂』已經從分散的著作逐漸形成統一的學術體系，標志着『明堂』在唐代已經發展成一個獨立的學術體系——『明堂學』。

唐代朝廷對明堂學非常重視，把『明堂學』與『本草學』『脉學』『内經學』並列爲四大醫學理論體系之一，詳見《大唐六典》卷十四：

太醫令掌諸醫療之法，丞爲之二。其屬有四，曰醫師、鍼師、按摩師、咒禁師，皆有博士以教之。其考試登用，如國子監之法。

注：諸醫鍼生讀《本草》者，即令識藥形、知藥性；讀《明堂》者，即令驗圖，識其孔穴；讀《脉訣》者，即令遞相診候，使知四時、浮沈、澀滑之狀；讀《素問》《黄帝鍼經》《甲乙》《脉經》，皆使精熟。

又云：

醫博士掌以醫術，教授諸生習《本草》《甲乙》《脉經》，分而爲業。一曰體療，二曰瘡腫，三曰少小，四曰耳目齒，五曰角法。

鍼博士掌教鍼生以經脉、孔穴，使識浮、沈、澀、滑之候，又以九鍼爲補寫之法。

凡鍼生留業者，教之如醫生之法。注云：鍼生習《素問》《黄帝鍼經》《明堂》《脉訣》，兼習《流注》《偃側》等圖，《赤烏》《神鍼》等經。業成者，試《素問》四條，《黄帝鍼經》《明堂》《脉訣》各二條。

按，《大唐六典》成書於開元二十六年（七三八），題唐玄宗御撰，實爲毋煚、余欽、韋述等人執筆。宋代陳振孫《直齋書録解題》引韋述所撰《集賢記注》云，《大唐六典》『以令式入六司，象《周禮》六官之制，其沿革併入注。』是注文與正文同時撰成，正文爲開元以前之令式，注文詳其沿革變遷，故正文與注文同等重要。陳寅恪《隋唐制度淵源略論稿》云：《大唐六典》『在唐代行政上遂成爲一種便於徵引之類書』。觀上引之《大唐六典》正文與注文，《明堂》與《本草》《脉經》《黄帝内經》同時並舉，等量齊觀，不分軒輊，地位相同。

《大唐六典》所舉之《明堂》，既指唐代盛行之『明堂』系列著作而言，又確指《舊唐書·經籍志》《新唐書·藝文志》著録之《黄帝明堂經》三卷而言，因爲《黄帝明堂經》三卷成書於漢代，繼載於《鍼灸甲乙經》，梁阮孝緒《七録》《隋書·經籍志》謂之爲《明堂孔穴圖》三卷，此後一切之『明堂』著作皆從此演化而出。楊上善《明堂類成》十三卷亦是在《黄帝明堂經》三卷基礎上再加分卷、類編、注釋而成。『黄帝内經明堂序』云：

舊制此經，分爲三卷。診候交雜，窺察難明；支體奇經，復興八脉。亦如沮漳沅澧，沔波於江漢；豊滈澇潏，分態於河宗。是以十二經脉，各爲一卷，奇經八脉，復爲一卷，合爲十三卷焉。

楊上善在唐高宗時期，於注釋《太素》的前後，又類編、注釋《黄帝明堂經》而成《明堂類成》十三卷，在中國醫學發展史上貢獻巨大。要而言之，《明堂類成》十三卷的貢獻，在以下四個方面最爲突出。

第一，它繼承、保存了《黄帝明堂經》三卷本的寶貴資料並發展了《黄帝明堂經》三卷的鍼灸理論。

第二，它開創了循經取穴的鍼灸理論和刺灸方法。

第三，楊上善第一次全面注釋了《黄帝明堂經》三卷，並緊密結合《太素》，把『明堂』之學推進到一個新的階段。

第四，楊上善關於穴位名稱的釋義訓詁，代表了我國古代穴名訓詁的最高學術水準，至今尚無出其右者。

《黄帝明堂經》三卷，大約成書於劉向、劉歆稍後，雖然它的個别篇目有來自西漢者，它的基礎理論、經脉理論取自《九卷》與《素問》，但把這些理論加以貫穿，把分散篇目加以彙集，當是《漢書・藝文志》以後事，故此書未著録於《漢書・藝文志》。自《黄帝明堂經》三卷成書後，第一次被皇甫謐加以改編，收録於《鍼灸甲乙經》，又著録於《隋書・經籍志》及兩『唐志』，至楊上善時代，三卷本尚存於世。

回顧自漢至唐初，我國文籍歷盡磨難，水火兵燹，頻繁更作，古書泯滅殆盡，《黄帝明堂經》三卷至唐巍然尚存，亦不幸中之大幸。《大唐六典》卷九『知書官八人』條簡述自漢至唐玄宗開元前古書之劫難云：

漢劉歆總群書而爲《七略》，凡三萬三千九十卷。遭王莽董卓之亂，掃地皆盡。魏氏采掇遺亡，至晋總括群書，凡二萬九千九百四十五卷。惠懷之後，靡有孑遺。東晋所存，三千一十四卷。至宋謝靈運造《四部目録》，凡四千五百八十二卷。其後王儉復造目録，凡萬五千七十四卷。齊王亮、謝朏《四部書目》，凡萬八千一十卷。齊末兵火，延燒秘閣，經籍煨盡。梁帝克平侯景，收公私經籍，歸於江陵，凡七萬餘卷。周師入郢，咸自焚之。周武保定中，書盈萬卷。平齊所得，才至五千。隋秘書監牛弘，請分遣使者，搜訪異書。平陳之後，經籍漸備，凡三萬餘卷。煬帝寫五十副本，分爲三品。大唐平王充，收其圖書，溯河西上，多有漂没，存者猶八萬餘卷。自是圖書在秘府，今秘書、弘文、史館、司經、崇文皆有之。集賢所寫，皆御本也。書有四部，一曰甲，爲經；二曰乙，爲史；三曰景，爲子；四曰丁，爲集。故分爲四庫，每庫二人，知寫書、出納、名目次序，以借檢討焉。四庫之書，兩京各一本，共二萬五千九百六十卷，皆以益州麻紙寫。

總之，從劉歆撰《七略》至唐初平王世充之叛，書經兵火水盜，屢經喪亡，端賴歷朝朝廷及文人搜訪遺佚，及歷代學者筆耕不輟，書籍漸次充盈，至唐初尚有書籍八萬餘卷，《黄帝明堂經》三卷在焉。其時『圖籍在秘府』，楊上善以『太子文學』職務之便，得而覽讀類編注釋之，不但保存了《黄帝明堂經》三卷的完整資料，而且，由於增加注釋，便於研習，且始創『循經取穴』著述體例，從而把『明堂學』的發展推向了一個新的階段。

所謂『循經取穴』是指按經脉循行路綫記述每條經脉之穴位及主治、禁忌。在楊上善《明堂類成》十三卷以前，『明堂』類書籍皆按身體部位記述穴位及其主治、禁忌，《鍼灸甲乙經》即如此；《鍼灸甲乙經》收録之《明堂孔穴鍼灸治要》即《黄帝明堂經》，因此，《黄帝明堂經》三卷亦爲按人體部位記載穴位及主治者，楊上善深感依體位記述穴位及説明主治，其弊在『診候交雜，窺察難明』，既不便研讀，亦不便應用，於是按經脉分卷，重新分類，『是以十二經脉各爲一卷，奇經八脉復爲一卷』，由三卷分爲十三卷，成此《明堂類成》。按經脉分卷，若綱在綱，如裘振領，極便理解與掌握，手三陰、手三陽、足三陰、足三陽，各爲一卷，奇經八脉爲一卷，合爲一十三卷。《太素》卷十一『本輸』楊上善注：

手之三陰，始之於胸，終於手指；手之三陽，始於手指，終之於頭。足之三陽，始起於頭，終之於足；足之三陰，始起於足，終之於腹。

按經脉分卷，恰可討源納流，執要説詳，若綱在綱，有條不紊。清末黄以周對楊氏《明堂類成》之編纂體例備加推崇，其全文如下：

《内經》《素問》及《九卷》爲周季醫士所集，名曰黄帝，神其術也。《明堂》亦稱黄帝授，皇甫謐作《甲乙經》謂之《黄帝三部》。王冰注《素問》，不注《九卷》，信《中誥孔穴圖經》，不信《明堂》，其識實出士安之下。隋楊上善有《黄帝内經明堂注》，其書與《太素》並行。《太素》合《素問》及《九卷》爲之，盛行於宋。林億有校本《明堂注》，先《太素》而亡。余購《太素》於日本，書賈以所售本非足卷，乃以楊注《明堂》一卷混厠其中，余得之喜甚。觀其自序云：『以十二經脉各爲一卷，奇經八脉復爲一卷，合爲十三卷焉』，今兹所得者，手太陰一經，乃其十三分之一耳，又何喜乎？顧《黄帝明堂》之文，多經後人竄改，而不見其舊。自皇甫謐刺取《甲乙》而後，秦承祖增其穴（楊注引其説，《千金方》亦引文）甄權修其圖，孫思邈之《千金》，王燾之《秘要》，又各據後代之言，損益其間，今之所行《銅人經》，非王惟德所著三卷之文。今之所傳《黃帝明堂灸經》，尤非楊上善所見三卷之舊。古之《明堂》三卷，其文俱存於《甲乙》，惜《甲乙》删其文之重見《素問》及《九卷》者，而其餘以類分編，不仍元文之次。

楊注《明堂》十三卷，《舊唐書》已著録，曰《明堂類成》，蓋亦如《太素》之編《内經》，以其散文附入本章云爾。其書以十二經脉爲綱領，各經孔穴，隸於其下，與《甲乙》三卷所次，體例不同。其記穴之先後，從藏逆推脉之所出，與《甲乙》亦異。其記穴之主病，不見《甲乙》。而《甲乙》自七卷至末，詳叙發病之源，而曰某穴主之者，其文悉與楊注《明堂》合。蓋皇甫、楊氏皆直取《明堂》元文，無所增益其間也。今依楊氏所編手太陰之例，而以《甲乙》之文補輯其闕，仍分爲十三卷。《經》曰：手之三陰，從藏走手；手之三陽，從手至頭；足之三陽，從頭走足；足之三陰，從足走腹。夫人頭背胸腹之孔穴，無非十二經脉所貫注，以十二經脉總領孔穴，若網在綱，有條不紊，較諸皇甫氏之《甲乙》，本末原委，更爲明悉矣。近之作鍼灸書者，苦斯人經絡之難尋，孔穴之難檢，而以頭面肩背，胸腹手足爲目，並去其某經所發、某經所會之文。如其法以治病，病即已，終不知病原所在，而况天下有此無本之治法乎？《孟子》言：興庶民，拒邪慝，道在正經。余謂醫家言之龐雜，其法或驗或不驗，亦必先正其經，而後人之是非乃定。經外之言，未必無其驗者，然不驗者居多也。以其不驗之言汩亂聖經，法愈多，治病癒失，殺人亦愈烈。曷若信而好古之爲得哉！（『黃帝内經明堂序』）

自楊氏創始『循經取穴』編纂體例和鍼刺原則以後，後世醫家多沿其例，至今此法仍爲醫家采用。

此書之出現，推動了明堂學術之發展。

七五三年（天寶十二年），王燾（約六七〇—七五五）《外臺秘要》成，卷三十九據《鍼灸甲乙經》大量引用《黄帝明堂經》原文，並稱此經爲明堂學之正經。而在王燾前，甄權（約五四〇—六四三）曾修《明堂圖》，孫思邈（五八一—六八二）《備急千金要方》《千金翼方》屢引『明堂』之説，可見明堂之學在唐初的發展盛况。至王燾又將『明堂』列爲專卷詳加論述，尤可見『明堂學』影響之巨大。

唐代明堂類著作，不限於《舊唐書·經籍志》《新唐書·藝文志》所載者，王冰於《素問》注中引用之《中誥孔穴圖經》（又簡稱《中誥圖經》《中誥》）及《内經明堂》等，對於考察明堂學之發展，輯佚明堂之資料，頗有價值。在唐代，學者以《黄帝明堂經》（即《内經明堂》）爲正經，與此相異者如《中誥圖經》《經脉流注孔穴圖經》（又稱《流注圖經》）等，雖亦爲明堂類著作，似流行不廣，故兩『唐志』無載。今將王冰《素問》注中涉及《内經明堂》《明堂經》《中誥孔穴圖經》《經脉流注孔穴圖經》之文字彙列於下，注其頁數（見人民衛生出版社《素問》横排簡體本，一九六三），以資與《太素》注中之《明堂》《黄帝明堂經》殘卷、《鍼灸甲乙經》《外臺秘要》卷三十九等比較研究，亦可從中考察明堂學在唐代發展概况。

（一）復下一度，腎之俞也。是謂五藏之俞，灸刺之度也。

注：《靈樞經》及《中誥》咸云：肺俞在三椎之傍，心俞在五椎之傍，肝俞在九椎之傍，脾俞在十一椎之傍，腎俞在十四椎之傍。尋此經草量之法……殊與《中誥》等經不同。（『血氣形志』第二十四篇，頁一五五）

（二）腹暴滿，按之不下，取手太陽經絡者，胃之募也。

注：太陽，爲手太陽也。手太陽少陽經絡之所生，故取中脘穴，即胃之募也。《中誥》曰：『中脘，胃募也，居蔽骨與齊中，手太陽、少陽、足陽明脉所生。』故云經絡者，胃募也。（『通評虛實論』第二十八篇，頁一七七至一七八）

（三）上踝五寸刺三鍼。

注：按，《内經明堂》《中誥圖經》悉主霍亂，各具明文。（『通評虛實論』第二十八篇，頁一七八）

（四）病甚者爲五十九刺。

注：背俞當是風門熱府，在第二椎下兩傍，各同身寸之一寸半，督脉足太陽之會，刺可入同身寸之五分，留七呼，若灸者可灸五壯。驗今《明堂》《中誥圖經》不言背俞，未詳果何處也……云門，手太陰脉氣所發，舉臂取之，刺可入同身寸之七分，若灸者可灸五壯。驗今《明堂》《中誥圖經》，不載髃骨穴。尋其穴以寫四支之熱，恐是肩髃穴，穴在肩端兩骨間，手陽明蹻脉之會。（『刺熱』第三十二篇，頁一九一）

（五）温瘧汗不出，爲五十九刺。

注：自胃瘧下至此，尋《黄帝中誥圖經》所主，或有不與此文同，應古之别法也。（『氣厥論』第三十七篇，頁二一一二）

（六）刺陽明於前三痏，上下和之出血，秋無見血。

注：按《内經中誥流注圖經》陽明脉穴俞之所主，此腰痛者，悉刺前三痏，則正三里穴也。（『刺腰痛』第四十一篇，頁二二八）

（七）刺少陰於内踝上二痏，春無見血，出血太多，不可復也。

注：按，《内經中誥流注圖經》少陰脉穴俞所主，此腰痛者當刺内踝上，則正復溜穴也。（『刺腰痛』第四十一篇，頁二二二八）

（八）刺解脉，在膝筋肉分間郄外廉之横脉出血，血變而止。

注：膝後兩傍，大筋雙上，股之後，兩筋之間，横文之處，努肉高起，則郄中之分也。古《中誥》以膕中爲太陽之郄。（『刺腰痛』第四十一篇，頁二二二九）

（九）少陰之前，與陰維之會。

注：少陰之前，陰維之會，以三脉會在此穴位分也，刺可入同身寸之三分。若灸者可灸五壯。今《中誥》經文，正同此法。（『刺腰痛』第四十一篇，頁二二三一）

（一〇）中熱而喘，刺足少陰，刺郄中出血。

注：此法玄妙，《中誥》不同，莫可窺測，當用知其應。（『刺腰痛』第四十一篇，頁二二三三）

（一一）刺郄中大脉，令人仆，脱色。

注：尋此經郄中主治，與《中誥流注經》委中穴正同。應郄中者，以經穴爲名；委中，處所爲名，亦猶寸口、脉口、氣口，皆同一處爾。然郄中大脉者，足太陽經脉也。（『刺禁論』第五十二篇，頁二二七七）

（一二）背與心相控而痛，所治天突與十椎及上紀下紀。

注：按，今《甲乙經》《經脉流注孔穴圖經》當脊十椎下並無穴同，恐是七椎也。（『氣穴論』第五十八篇，頁二二九二）

（一三）大椎上兩傍各一，凡二穴。

注：今《甲乙經》《經脉流注孔穴圖經》並不載，未詳何俞也。（『氣穴論』第五十八篇，頁二九七）

（一四）俠脊以下至尻尾二十一節十五間各一。

注：十五間各一者，今《中誥孔穴圖經》所存者十三穴，左右共二十六。（『氣府論』第五十九篇，頁三〇四）

（一五）督脉爲病，脊强反折。

注：督脉，亦奇經也。然任脉、衝脉、督脉者，一源而三歧也，故經或謂衝脉爲督脉也。何以明之？今《甲乙》及古《經脉流注圖經》以任脉循背者謂之督脉，自少腹直上者謂之任脉，亦謂之督脉，是則以背腹陰陽别爲名目爾。（『骨空論』第六十篇，頁三二〇）

按，『任脉』『衝脉』『督脉』乃異名同體者，醫家切需知之。故王冰於『骨空論』注中反復言之：『自其少腹直上，至兩目之下中央，並任脉之行，而云是督脉所繫，由此言之，則任脉、衝脉、督脉，名異而同體也。』又云：『以衝脉、任脉並自少腹上至於咽喉，又以督脉循陰器合篡間繞篡後别繞臀，故不孕、癃痔、遺溺、嗌乾也。所以謂之任脉者，女子得之以妊養也，故經云此病其女子不孕也。所以謂之衝脉者，以其氣上衝也，故經云生此病從少腹上衝心而痛也。所以謂之督脉者，以其督領經脉之海也。由此三用，故一源三歧，經或通呼』，『衝、任、督三脉，異名同體亦明矣。』（『骨空論』第六十篇，頁三二一）

（一六）淫濼脛酸，不能久立，治少陽之維，在外上五寸。

注：《中誥圖經》外踝上四寸無穴，五寸是光明穴也。（『骨空論』第六十篇，頁三二三）

（一七）此八者，以瀉胸中之熱也。

注：今《中誥孔穴圖經》雖不名之，既曰風門熱府，即治熱之背俞也。（『水熱穴論』第六十一篇，頁三三二）

（一八）云門、髃骨、委中、髓空，此八者，以瀉四支之熱也。

注：云門在巨骨下，胸中行兩傍，相去同身寸之六寸，動脉應手，足太陰脉氣所發，舉臂取之，刺可入同身寸之七分。若灸者，可灸五壯。驗今《中誥孔穴圖經》無髃骨穴，有肩髃穴，穴在肩端兩骨間。（『水熱穴論』第六十一篇，頁三三一）

（一九）左刺右，右刺左。

注：《中誥孔穴圖經》云：左取右，右取左。（『繆刺論』第六十三篇，頁三五〇）

（二〇）耳聾，刺手陽明，不已，刺其通脉出耳前者。

注：手陽明，謂前手大指、次指去端如韭葉者也，是謂商陽。據《中誥孔穴圖經》，手陽明脉中商陽、合谷、陽溪、遍历四穴，並主耳聾。（『繆刺論』第六十三篇，頁三五〇）

（二一）齒齲，刺手陽明，不已，刺其脉入齒中，立已。

注：據《甲乙》《流注圖經》手陽明脉中商陽、二間、三間、合谷、陽溪、遍历、温留七穴，並主齒痛。（『繆刺論』第六十三篇，頁三五一）

（二二）刺足中指次指爪甲上。

注：中當爲大，亦傳寫中，大之誤也。據《靈樞經》《孔穴圖經》中指次指爪甲上無穴，當言刺大指

次指爪甲上。（『繆刺論』第六十三篇，頁三四八）

粗計王冰引明堂類著作有三大類十一種。

第一類：《中誥》類。《黄帝中誥圖經》（一見）、《内經中誥流注圖經》（二見）、《中誥孔穴圖經》（五見）、《中誥圖經》（三見）、《中誥流注圖經》（一見）、《中誥》（五見）。觀上書均有『中誥』二字，疑中誥之名爲上述書名之簡稱；簡言之，其書原名或爲《黄帝内經中誥流注圖經》，爲書寫簡便，或舉全稱，或舉簡稱，惜其書早佚，莫知其詳。

第二類：《明堂》類。《内經明堂》（一見）、《明堂》（一見）。按，此即《黄帝明堂經》三卷本。黄以周《黄帝内經明堂叙》稱『王冰注《素問》，不注《九卷》；信《中誥孔穴圖經》，不信《明堂》，其識實出士安之下。』按，王冰非不信《明堂》，注中兩見引用，是其證。

第三類：『流注』類。《經脉流注孔穴圖經》（二見）、《經脉流注圖經》（一見）、《流注圖經》（一見）、《孔穴圖經》（一見）。

從王注觀之，《中誥》類、『流注』類之内容與《黄帝明堂經》三卷本基本一致，《中誥》與『流注』類古書亦爲明堂類著作。《隋書·經籍志》云：『梁有《明堂流注》六卷。亡。』王冰於『骨空論』注稱『古《經脉流注圖經》』（見上引第一六），冠以『古』字，則『流注』類亦爲先古所傳之書。今所傳子午流注鍼灸法，乃古昔相傳明堂遺法之僅存者。

明堂類著作於唐末五代喪失殆盡。前人雖云林億曾校《黄帝明堂經》三卷本，但此書後世無傳，亦未見後世徵引其文。

《黄帝明堂經》三卷本東傳日本時間，早於楊上善《明堂類成》十三卷傳日時間。七〇一年日本大寶元年實施《大寶律令》，其中《醫疾令》規定，《素問》《鍼經》《明堂》爲鍼灸醫生必讀教科書。楊上善之《明堂類成》雖早已成書［此書當亦撰成於唐高宗乾封元年（六六六）至弘道元年（六八三）之間，與《太素》撰成時間相同］，但此時鑒真和尚尚未東渡，亦未聞日本遣唐使及學問僧有携歸《明堂類成》者，故《大寶律令》規定日本鍼灸醫生學習之《明堂》，當爲《黄帝明堂經》三卷本。

七五三年鑒真和尚（六八八—七六三）抵日，帶去楊上善注《太素》三十卷、《明堂類成》十三卷，此十三卷本逐漸取代《黄帝明堂經》三卷本。

七五七年日本天平寶字元年十一月九日癸未，孝謙天皇發布敕令，規定『醫生須講《太素》《甲乙》《脉經》《本草》；鍼生則爲《素問》《鍼經》《明堂》《脉訣》。』楊氏《太素》既被指定爲必讀之書，其所注《明堂類成》亦極可能被指定爲必讀之作。

八九三年，秘閣冷然院火灾，藏書焚毁甚多，朝廷敕命藤原佐世修撰書目，《日本國見在書目録》約於八九三年撰成。該書至今猶存，著録當時日本皇家及中央公務機關所藏中國書籍凡一萬七千二百零九卷，爲隋唐書籍總數二分之一。該書目醫家類著録云：『《黄帝内經明堂》一卷，楊上善撰。』八九三年前楊氏《明堂類成》已佚十二卷，殘存一卷，爲冷然院失火致殘。

九二七年，日本延長五年，《延喜式》撰成，卷三十七《典藥寮》規定必讀醫書所需時間，其中規定『《明堂》二百日』，『《小品》《明堂》《八十一難經》皆按小經標準』。此《明堂》爲楊上善《明堂類成》簡稱。

九八四年，日本永觀二年，丹波康賴撰成《醫心方》三十卷，卷二爲《明堂》卷，此卷爲楊氏《明堂類成》之尚存者。

一一五一——一一五八年，日本仁平元年至保元三年，丹波憲基據家傳本《太素》再行抄寫，其中楊上善注引《明堂》數十條。

一一六六——一一六八年，丹波賴基以憲基本爲底本重抄《太素》，楊上善注中的《明堂》材料流傳至今。按，《太素》注中《明堂》材料雖爲零珪斷璧，但以《明堂類成》僅存十三分之一，這些資料更加珍貴。

今傳之《明堂類成》殘卷僅存『黄帝内經明堂序』及卷一手太陰肺經全卷。此殘本有永仁（一二九三——一二九七）鈔本、永德（一三八一——一三八四）鈔本及前田育德會尊經閣文庫珍藏鈔本。永仁本『黄帝内經明堂序』殘缺嚴重，缺字蝕字甚多，日本岡西爲人《宋以前醫籍考》收録之『黄帝内經明堂序』即出於永仁本。永德本『黄帝内經明堂序』缺字較少，尊經閣文庫本『黄帝内經明堂序』最爲完整，且有抄者自加之注。三本卷一皆全。

十九世紀末永仁本《明堂類成》殘卷一卷及殘序傳回中國。觀黄以周『黄帝内經明堂叙』，黄氏曾從日本僥幸購歸永仁本《明堂類成》殘卷鈔本，一八九七年袁昶刻《太素》附於卷三十之後。一九三五年漢口餘生印刷社活字排印《太素》，劉震鋆《楊注太素彙考》云：『柯息園師原鈔本另有《診脉手掌圖》，附三十卷後。』柯氏鈔本今不得見，疑《診脉手掌圖》或爲《明堂類成》殘卷。

一九三五年商務印書館《叢書集成初編》收録袁昶《太素》，《明堂類成》殘卷附於卷末，一仍袁本之舊。殘卷後附黄以周『舊鈔太素經校本叙』『黄帝内經明堂叙』『黄帝内經九卷集注叙』『黄帝内經素問重校正叙』四文。

楊上善《明堂類成》殘卷從一八九七年在中國刻版面世以來，迄今百餘年，研究者寥若晨星。中國中醫科學院醫史文獻研究所馬繼興教授《中醫文獻學》對《黄帝明堂經》及《明堂類成》有考證。筆者於一九七九年撰《楊上善明堂初探》《〈太素〉〈明堂〉釋音的研究與校勘》，收於《〈内經〉研究論叢》（一九八二年，湖北人民出版社），中國中醫科學院鍼灸所黄龍祥先生撰《黄帝明堂經輯校》（一九八七年，中國醫藥科技出版社），努力恢復《黄帝明堂經》三卷本的大體面貌。

近幾十年來，日本學者也對《黄帝明堂經》進行了研究。石原明《明堂經研究》、小曽户丈夫《黄帝内經明堂仁和寺本復原試案例》、筱原孝市《黄帝内經明堂總説》等都是資料豐富、考證深入的好論文。

中日學者雖然對《黄帝明堂經》《明堂類成》進行着研究，但廣度、深度都不够，還有許多研究課題有待開展。

三 《太素》注中的《明堂》資料

《太素》與《明堂》的關係，確如『黄帝内經明堂序』所云『是猶天一地二』，明於此而互求，則可『漸通其妙物焉』。

《太素》今存二十五卷，佚五卷。今從尚存的二十五卷中，將《太素》注中多處列舉的《明堂》條文或綫索抄録於下，既便於研究《太素》，亦便於研究《明堂》。爲便於讀者查閲和復核所抄録的資料，於每條引文之後，皆注明頁數。頁數見一九六五年人民衛生出版社《太素》分段、標點本。

（一）胃足陽明之脉，起於鼻，交頞中。

楊注：十二經脉行處及穴名，備在《明堂經》，具釋之也。（卷八『經脉之一』，頁九九）

（二）心手少陰之脉起於心中，出屬心系，下鬲絡小腸。

楊注：此經起自心中，還屬心系，由是心神最爲長也。問曰：《九卷》心有二經，謂手少陰、心主。手少陰經不得有輸。手少陰外經受病，亦有療處。其内心藏不得受邪，受邪即死。又《九卷·本輸》之中，手少陰經及輸並皆不言。今此《十二經脉》及《明堂流注》少陰經脉及輸皆有，若爲通釋？答曰：經言『心者，五藏六府之大主，精神之舍，其藏堅固，邪不能客。客之則心傷，心傷則神去，神去即死。故諸邪之在於心者，皆在心之包絡，包絡，心主脉也。』故有脉不得有輸也。手少陰外經有病者，可療之於手掌兑骨之端。又恐經脉受邪傷藏，故『本輸』之中，輸並手少陰經亦復去之。今此《十二經脉》手少陰經是動所生皆有諸病，倶言盛衰，並行補寫，及《明堂流注》具有五輸者，以其心藏不得多受外邪，其於飲食湯藥，内資心藏，有損有益，不可無也。故好食好藥資心，心即調適；若惡食惡藥資心，心即爲病。是以心不受邪者，不可多受邪也。言手少陰是動所生致病及《明堂》有五輸療者，據受内資，受外邪也。（卷八『經脉之一』，頁一〇三）

（三）黄帝曰：手少陰之脉獨無輸，何也？

楊注：其藏堅固者，如五藏中心有堅脆，心脆者則善病消癉，以不堅故。善病消癉，即是受邪，故知不受邪者，不得多受外邪。至於飲食資心以致病者，不得無邪，所以少陰心之主所生病皆有療也。又《明堂》手少陰亦有五輸主病，不得無輸，即其信也。（卷九『脉行同異』，頁一二七。按，上引之第二條『不可多受邪也』，原文無多字，據《太素》分段標點本第一二七頁『故知不受邪者，不得多受外邪』之句補『多』字。）

（四）故陰陽上下，其動也若一。

楊注：陰謂寸口，手太陰也；陽謂人迎，足陽明也。上謂人迎，下謂寸口，有其二義：人迎是陽，所以居上也；寸口是陰，所以居下也。又人迎在頸，所以爲上；寸口在手，所以爲下。人迎寸口之動，上下相應俱來，譬之引繩，故若一也。所論人迎、寸口，唯出黄帝正經，計此之外，不可更有異端。近相傳者，直以兩手左右爲人迎、寸口，是則兩手相望以爲上下，竟無正經可憑，恐誤物深也。（卷九『脉行同異』，頁一三〇。按，『黄帝正經』既指《黄帝内經》，亦指《黄帝明堂經》。）

（五）實則心痛，虚則爲煩，取之兩筋間。

楊注：檢《明堂經》『兩筋間』下，有『别走少陽』之言，此經無者，當是脱也。（卷九『十五絡脉』，頁一三五）

（六）岐伯曰：任脉、衝脉，皆起於胞中，上循脊裏，爲經絡海。

楊注：《明堂》言目下巨窌、承泣左右四穴，有陽蹻脉、任脉之會，則知任脉亦有分岐上行者也。又任、衝二脉，上行雖别，行處終始其經是同也。舊來爲圖，任脉唯爲一道，衝脉分脉兩箱，此亦不可依也。（卷十『任脉』，頁一四九）

（七）足太陽根於至陰，流於京骨。

楊注：輸穴之中，言六陽之脉，流井、滎、輸、原、經、合，五行次第，至身爲極。今此手足六陽，從根至入，流注上行，與《本輸》及《明堂流注》有所不同……《流注》以所出爲井，此爲根者，井爲出水之處，故根即井也。（卷十『經脉根結』，頁一六三）

（八）尺澤者，肘中之動脉也，爲合，手太陰經也。

楊注：如水出井以至海，爲合。脉出指井，至此合於本藏之氣，故名爲合。解餘十輸，皆放於此。諸輸穴名義，已《明堂》具釋也。（卷十一『本輸』，頁一六六）

（九）注於大陵。大陵者，掌後兩骨之間方下者也，爲輸。

楊注：方下，陷中也。三寸之中者，三寸之際也。有虚實之過，則氣使至此；無過不至，故止也。《明堂》此手心主經下，有手少陰五輸，此經所説心不受邪，故手少陰無輸也。（卷十一『本輸』，頁一六七）

（一〇）行於中封。中封者，在内踝前一寸半陷者中也。

楊注：《明堂》内踝前一寸，仰足而取之。陷者中，伸足乃得之也。（卷十一『本輸』，頁一六七）

（一一）入於曲泉。曲泉者，輔骨之下，大筋之上也。

楊注：《明堂》在膝内輔骨下，大筋上，小筋下，陷中也。（卷十一『本輸』，頁一六七）

（一二）腎出涌泉。涌泉者，足心也，爲井。

楊注：《明堂》一名地衝也。（卷十一『本輸』，頁一六八）

（一三）溜於然谷。然谷者，然骨之下也，爲滎。

楊注：《明堂》一名龍泉，在足内踝前起大骨下陷中，即此大骨爲然骨。（卷十一『本輸』，頁一六八）

（一四）行於復留。復留者，上踝二寸，動而不休也，爲經。

楊注：《明堂》一名昌陽，一名伏白，足少陰脉，動不休也。（卷十一『本輸』，頁一六八）

（一五）入於陰谷。陰谷者，輔骨之後，大筋之下，小筋之上也。

楊注：《明堂》在膝内輔骨之後。按應手，謂按之手下覺異也。（卷十一『本輸』，頁一六八）

（一六）膀胱出於至陰。至陰者，足小指之端也，爲井。

楊注：《明堂》在足小指外側，去爪甲角如韭葉也。（卷十一『本輸』，頁一六八）

（一七）溜於通谷。通者，本節之前，爲滎。

楊注：《明堂》通谷者，小指外側，本節後陷中也。（卷十一『本輸』，頁一六八）

（一八）注於束骨。束骨者，本節之後也，爲輸。

楊注：《明堂》在足小指外側，本節後陷中也。（卷十一『本輸』，頁一六八）

（一九）入於委中。委中者，膕中也，爲合，委而取之，足太陽經也。

楊注：《明堂》在膕中央約文中動脉也。（卷十一『本輸』，頁一六九）

（二〇）膽出於竅陰，竅陰者，足小指次指之端也，爲井。

楊注：《明堂》足小指次指端去爪甲角如韭葉。（卷十一『本輸』，頁一六九）

（二一）溜於俠溪。俠溪者，小指次指之間也，爲滎。

楊注：《明堂》小指次指歧骨間本節前陷中。（卷十一『本輸』，頁一六九）

（二二）注於臨泣。臨泣者，上行一寸半陷者中也，爲輸。

楊注：《明堂》在足小指次指本節皮間陷者中，去俠溪一寸半也。（卷十一『本輸』，頁一六九）

（二三）過於邱虛。邱虛者，外踝之下陷者之中也，爲原。

楊注：《明堂》外踝下如前陷者中，去臨泣三寸也。（卷十一『本輸』，頁一六九）

（二四）行於陽輔。陽輔者，外踝之上，輔骨之前及絶骨之端也，爲經。

楊注：《明堂》無『及』，及即兩處也。（卷十一『本輸』，頁一六九）

（二五）入於陽之陵泉。陽之陵泉者，在膝外陷者中也。

楊注：《明堂》在膝下外廉也。（卷十一『本輸』，頁一六九）

（二六）胃出於厲兑。厲兑者，足大指之内，次指之端也，爲井。

楊注：《明堂》去爪甲角如韭葉也。（卷十一『本輸』，頁一六九至一七〇）

（二七）溜於内庭。内庭者，次指外間陷者中也，爲滎。

楊注：《明堂》足大指次指外間也。（卷十一『本輸』，頁一七〇）

（二八）注於陷谷。陷谷者，中指内間上行二寸陷者之中也，爲輸。

楊注：《明堂》足大指次指外間本節皮陷者中，去内庭二寸也。（卷十一『本輸』，頁一七〇）

（二九）過於衝陽。衝陽者，足跗上五寸陷者中也，爲原，摇足而得之。

楊注：《明堂》一名會原，足跗上五寸骨間動脉上，去陷骨三寸也。（卷十一『本輸』，頁一七〇）

（三〇）行於解溪。解溪者，上衝陽一寸半陷者中也，爲經。

楊注：《明堂》衝陽後一寸半腕上也。（卷十一『本輸』，頁一七〇）

（三一）過於陽池。陽池者，在腕上陷者之中也，爲原。

楊注：陽池，《明堂》一名别陽，在手腕上陷中也。（卷十一『本輸』，頁一七〇）

（三二）入於天井。天井者，在肘外大骨之上陷者中也，爲合，屈肘而得之。

楊注：《明堂》在肘外大骨之後，肘後一寸兩筋間陷中也。（卷十一『本輸』，頁一七一）

（三三）出於少澤。少澤者，小指之端也，爲井。

楊注：《明堂》一名少吉，去爪甲下一分陷中。（卷十一『本輸』，頁一七一）

（三四）溜於前谷。前谷者，手小指本節之前陷者中也，爲滎。

楊注：《明堂》在手小指外側中也。（卷十一『本輸』，頁一七一）

（三五）後溪者，本節之後也，爲輸。

楊注：《明堂》在手小指外側本節後陷中也。（卷十一『本輸』，頁一七一）

（三六）完骨者，在手外側腕骨之前也，爲原。

楊注：《明堂》在手外側腕前起骨下陷中。即此起骨爲腕骨，此經名完骨。（卷十一『本輸』，頁一七一）

（三七）陽谷者，在兑骨之下陷者中也，爲經。

楊注：《明堂》在手外側腕中兑骨下也。（卷十一『本輸』，頁一七二）

七二）

（三八）入於小海。小海者，在肘内大骨之外。

楊注：《明堂》屈肘乃得之。（卷十一『本輸』，頁一七二）

（三九）商陽者，大指次指之端也，爲井。

楊注：《明堂》一名而明，一名絶陽。大指次指内側，去爪甲角如韭葉也。（卷十一『本輸』，頁一七二）

（四〇）溜於二間。二間在本節之前，爲滎。

楊注：《明堂》二間在手大指次指本節前内側陷中也。（卷十一『本輸』，頁一七二）

（四一）注於三間。三間在本節之後，爲輸。

楊注：《明堂》一名少谷，在手大指次指本節後内側陷中也。（卷十一『本輸』，頁一七二）

（四二）過於合谷。合谷者，在大指之間也，爲原。

楊注：《明堂》一名虎口，在大指歧骨間也。（卷十一『本輸』，頁一七二）

（四三）陽溪者，在兩筋之間陷者中，爲經。

楊注：《明堂》一名中槐，在腕中上側兩筋間也。（卷十一『本輸』，頁一七二）

（四四）是謂五藏六府之輸，五五二十五輸，六六三十六輸。

楊注：心不受邪，手少陰無輸，故五藏各五輸，有二十五輸。依《明堂》手少陰有五輸，總有三十輸。六府有原輸，故有三十六輸。皆是藏府之氣，送致聚於此穴，故名爲輸也。（卷十一『本輸』，頁一七二）

（四五）刺犢鼻者，屈不能伸。

楊注：犢鼻在膝臏下骭上俠解大筋中，刺之傷筋，筋病屈不能伸也。《明堂》無禁也。（卷十一『本輸』，頁一七三）

（四六）刺内關者，伸不能屈。

楊注：内關在掌後去腕二寸，别走手少陽，手心主絡。《明堂》無禁。（卷十一『本輸』，頁一七三）

（四七）陰尺動脉在五里，五輸之禁。

楊注：陽爲寸，故陰爲尺。陰尺之中，五藏動脉在肘上五里五輸大脉之上。《明堂》云：『五里在肘上三寸，手陽明脉氣所發，行向裏大脉中央，禁不可刺，灸十壯，左取右，右取左。』（卷十一『本輸』，頁一七四）

（四八）肺輸在三椎之間，心輸在五椎之間。

楊注：此五藏輸俠脊即椎間，相去遠近，皆與《明堂》同法也。（卷十一『氣穴』，頁一八七）

（四九）傍五相去二寸，其浮氣在皮中者凡五行。

楊注：《明堂》傍相去一寸半，有此不同也。（卷十一『氣府』，頁一九一）

（五〇）面鼽骨空各一。

楊注：《明堂》雖不言氣發之，陽明正别上頔繫目系，故至顴窌也。（卷十一『氣府』，頁一九三）

（五一）大椎以下至尻，二十節間各一。

楊注：大椎至骶二十一節，有二十間，間有一穴，則二十六穴也。《明堂》從兑端上項，下至瘖門，有十三穴；大椎以下，至骶骨長强二十一節，有十一穴，凡二十四穴，督脉氣所發，與此不同，未詳也。（卷十一『氣府』，頁一九五）

（五二）鳩尾下三寸，胃脘五寸，胃脘以下下至横骨八寸一一，腹脉法。

楊注：《明堂》中央任脉氣所發穴合有二十六，此經從旋機以下至庭中□穴，合□六，此經從旋機以下至横骨雖發□，下分寸復與《明堂》不同，亦未詳也。（卷十一『氣府』，頁一九六）

（五三）凡三百六十五穴。

楊注：此言三百六十五穴者，舉大數爲言，過與不及，不爲非也。三百八十四穴，乃是諸脉發穴之義。若準《明堂》，取穴不盡，仍有重取，以此。（卷十一『氣府』，頁一九六）

（五四）以痛爲輸。

楊注：《明堂》依穴療筋病者，此乃依脉引筋氣也。（卷十三『經筋』，頁二二〇）

（五五）寸口主中，人迎主外。

楊注：結喉兩箱，足陽明脉迎受五藏六府之氣以養於人，故曰人迎。《下經》曰：『人迎，胃脉也。』又云：『任脉之側動脉，足陽明，名曰人迎。』《明堂經》曰：『頸之大動脉，動應於手，俠結喉，以候五藏之氣。人迎胃脉，六府之長，動在於外，候之知内，故曰主外。寸口居下，在於兩手，以爲陰也；人迎在上，居喉兩傍，以爲陽也。』（卷十四『人迎脉口診』，頁二六〇）

（五六）取天容者，無過一里而止。

楊注：一里，一寸也。故《明堂》刺天容入一寸也。（卷二十二『五節刺』，頁三六二）

(五七)灸寒熱之法,先取項大椎,以年爲壯數。

楊注:大椎穴,三陽督脉之會,故灸寒熱氣取。《明堂》大椎有療傷寒病,不療寒熱。(卷二十六『灸寒熱法』,頁四九三)

(五八)天以候頭角之氣,地以候口齒之氣,人以候耳目之氣。

楊注:《明堂經》雖不言脉動額角,唯有此二脉也。此經兩額動脉以候頭角之氣,即知此二脉動也。(卷十四『診候之一』卷首,仁和寺影印本)

(五九)足太陽深五分,留七呼。

楊注:此手足陰陽所刺分數,與《明堂》分數大有不同。若爲取定?答曰:此及《明堂》所刺分數各舉一例。若隨人隨病,其例甚多,不可一概也。(卷五『十二水』,頁六八)

綜合今存《太素》二十五卷,引《明堂》凡六十條。

《黄帝明堂經》手太陰肺經注引《太素》計二條:

(一)中府者……主肺系急欬。　楊注:五藏六府之欬,皆以肺爲其本。五藏六府欬狀,如《太素》説之。

(二)列缺……兩乳下三寸堅,脅下滿季。　楊注:傷寒熱病,具以論者,如《太素經》。

由《明堂類成》注、《太素》注互引,互相提示觀之,《太素》《明堂》二書誠如楊上善所云,『是猶天一地二』的姊妹篇。《太素》注引《明堂》多達六十次,不僅可覘二書關係之密切,而且對於今後《明堂類成》之輯佚與研究亦具有重要啓發。

《黄帝明堂經》是關於經脉、鍼刺與穴位的古代醫學經典著作，它與《黄帝内經》論述經脉篇章關係甚密，故《太素》之『本輸』篇大量引用《黄帝明堂經》理論與成説。綜觀以上近六十條，《明堂》與《太素》互補處，見於以下幾點。

第一，《明堂》增加穴位異名。主要有如下几种。

涌泉，《明堂》一名地衝。（頁一六八）

然谷，《明堂》一名龍泉。（頁一六八）

復留，《明堂》一名昌陽，一名伏白。（頁一六八）

衝陽，《明堂》一名會原。（頁一七〇）

陽池，《明堂》一名别陽。（頁一七〇）

少澤，《明堂》一名少吉。（頁一七一）

完骨，《明堂》一名起骨。（頁一七一）

商陽，《明堂》一名而明，一名絶陽。（頁一七二）

合谷，《明堂》一名虎口。（頁一七二）

第二，穴位的具體位置及穴位數，《明堂》與《太素》略異。主要不同如下。

（一）足太陽脉氣所發者七十三穴……傍五，相去二寸（《氣府》頁一九一）。楊上善注云：《明堂》傍相去一寸半，有此不同也。』又考《素問·氣府論》作『傍五，相去三寸』，林億謂作『三寸』不確。蕭延平則謂『本書楊注爲得，《素問》王注爲失。』

（二）據《太素》卷十一《氣府》從大椎至骶有二十六穴，而《明堂》爲二十四穴。二者穴數不同。

第三，治則有異。

《太素》卷十三『經筋』足太陽之筋，其病『以痛爲輸』，而《明堂》治足太陽之筋諸疾，采用循經取穴之法。楊注云：『言筋但以筋之所痛之處即爲孔穴，不必要須依諸輸也。以筋爲陰陽氣之所資，中無有空，不得通於陰陽之氣上下往來。然邪入腠襲筋爲病，不能移輸，遂以病居痛庭爲輸，故曰筋者無陰無陽，無左無右以候痛也。《明堂》依穴療筋病者，此乃依脉引筋氣也。（頁二二〇）

楊上善《明堂類成》目前僅存十三分之一，《黃帝明堂經》三卷已佚，雖賴《鍼灸甲乙經》收録，但割裂太甚，復舊實難，《外臺秘要》卷三十九雖引有《黃帝明堂經》，但所依據者爲《鍼灸甲乙經》，故『明堂』之學在我國幾成絶學，亟需有志者沉潛其中加以研究。

林億『鍼灸甲乙經序』云：『或曰：《素問》《鍼經》《明堂》三部之書，非黃帝書，似出於戰國。曰：八生天地之間，八尺之軀，藏之堅脆、府之大小、穀之多少、脉之長短、血之清濁，十二經之血氣大數，皮膚包絡其外，可剖而視之乎？非上聖大智，孰能知之？戰國之人何與焉！大哉，《黃帝内經》十八卷，《黃帝明堂經》三卷（按，『明堂』二字原訛作『鍼經』，準上句及皇甫謐《鍼灸甲乙經》自序改），最出遠古。』是林億謂《黃帝明堂經》乃黃帝時撰，此説不可從。《黃帝明堂經》乃漢代之作，附論於此。

錢超塵

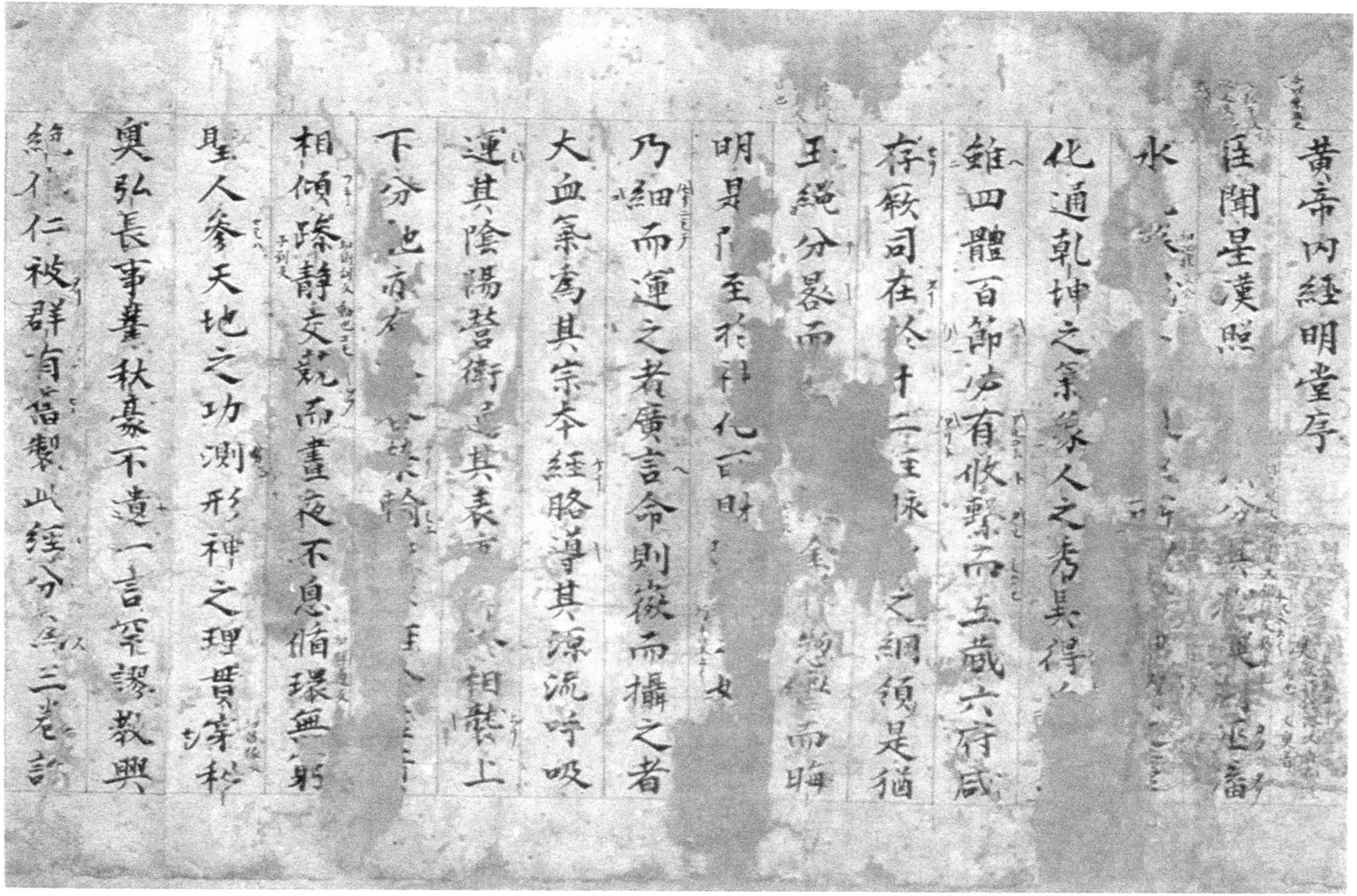
黃帝内經明堂序
臣聞星漢照
水
化通乾坤之氣象人之秀異得
雖四體百節妙有收繫而五藏六府咸
存秘司在於十二經脉之綱領是猶
王綖分晷而
明是門至於神化
乃細而運之者廣言命則微而攝之者
大血氣為其宗本經絡導其源流呼吸
運其陰陽營衛通其表裏相繫上
下分也
相傾陰靜交競而晝夜不息循環無窮
聖人參天地之功測形神之理貫綜秘
奧弘長事囊秋毫不遺一言窒謬教興
紀仁被群有旨製此經分為三卷詁

仁和寺所藏《黃帝内經明堂》永仁本卷首

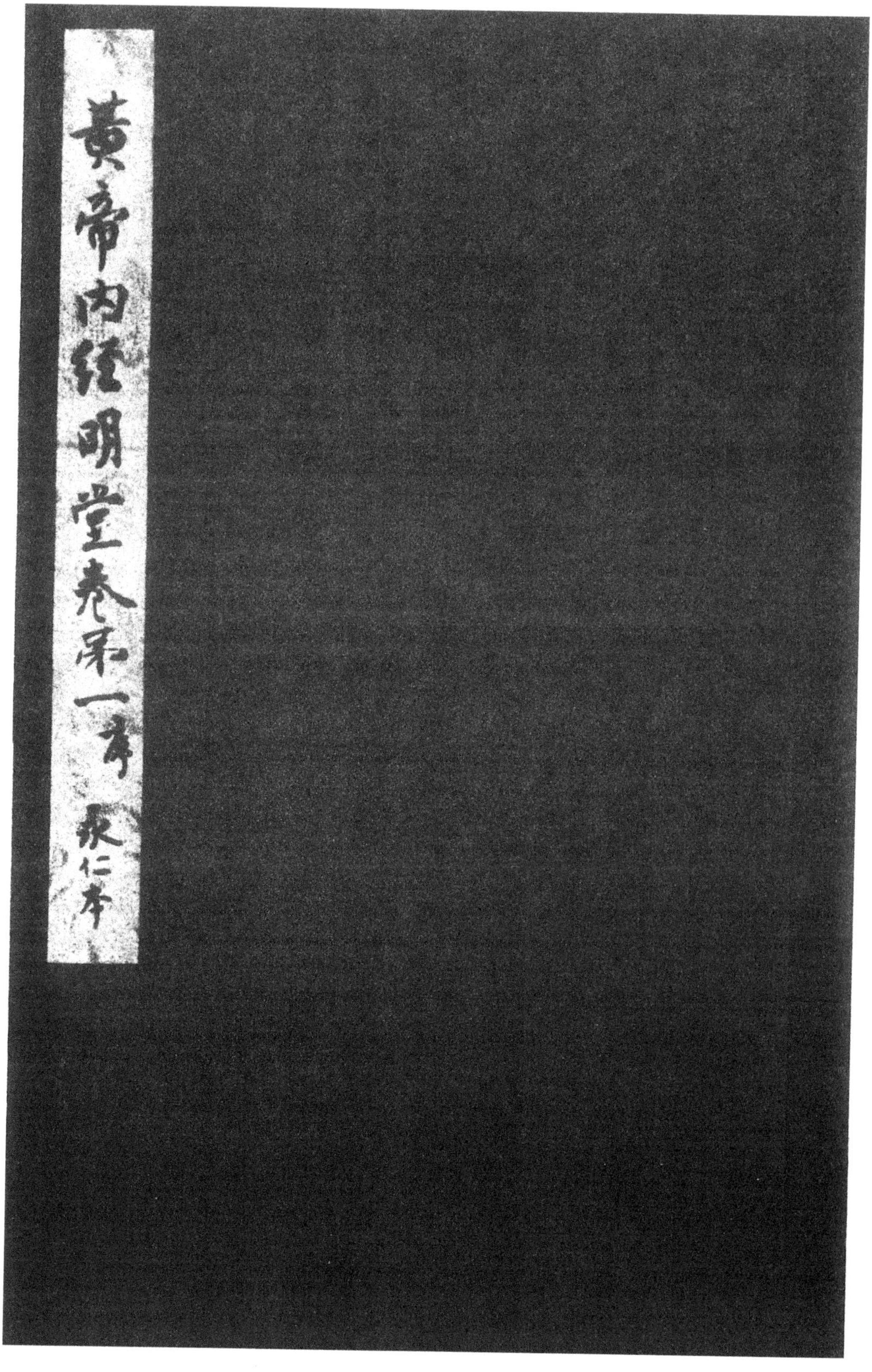
黄帝内經明堂卷第一
永仁本

黃帝內經明堂序

臣聞星漢照[illegible]分其[illegible]

水[illegible]

化通乾坤之氣象人之[illegible]稟得人

雖四體百節逆有脩繫而五藏六府咸

存敘司在於十二經脉之綱領是猶

[illegible]稱[illegible]有

王綫分晷而[illegible]金[illegible]而晦

明是[illegible]至於[illegible]化而財[illegible]女

乃細而運之者廣言命則[illegible]而攝之者

大血氣爲其宗本經絡導其源流呼吸

運其陰陽營衛通其表裏[illegible]終相襲上

下分弛亦有[illegible]輸[illegible]

相傾躁靜交競而晝夜不息循環無窮

[illegible]

聖人參天地之功測形神之理貫穿秘
奧弘長事業秋豪不遺一言窮謬教興
絕代仁被群有舊制此經分為三卷診
候交雜窺察難明支體寸經復與八脉
亦如沮漳沅澧波沫於江漢豐滈涇渭
分態於河宗是以十二經脉各為一卷
奇經八脉復為一卷合為十三卷焉

吾綜八脈[illegible]一[illegible]
使九野區分望辨而歸一點五音跳鼓
變泯跡而歸真也非人豈畢
萬殊流合濟無乖勝能稟皇明以宣
後學有業在昔而大壯成其棟宇紺營
猶秘以明離照其作漢乃成之聖曰
取諾不遠然其學一帝[illegible]寸大
著陳其宗旨明堂表其見是猶天一
地二亦所道其萬物焉

[illegible]

地二亦漸通其妙物焉

黃帝內經明堂卷第一 手太陰

通直郎守太子文學臣楊上善奉　勅撰注

肺藏肺重三斤三兩六葉兩耳凡八葉

主藏魄肺有小大高下堅脆端正偏傾

不同肺小則少飲不病喘喝肺大則善

病胸痺喉痺逆氣肺高則上氣肩息欬

[illegible]

欬肺下則居賁迫肝善脇下痛肝堅則
不病欬上氣肺脆則善病消癉易傷也
肺端正則和利難傷也肺偏傾則胸偏
痛白色小理者肺小粗理者肺大巨肩
反膺陷喉者肺高合　長脇者肺下好
肩背厚者肺堅肩背薄者肺脆好肩膺
者肺端正脅偏疏者肺偏傾也其行金

其色白其時秋其味辛其日庚辛其志

憂其氣天其音商其[illegible]矣其榮毛其主

皮毛其液涕其竅鼻其穴[illegible]其穀稻其

星大白其數九其[illegible]其典寒其魁

肺其生腎其臭腥其蔬韭其菜葱其脉

毛其經脉手太陰章上商亭之太陰壬

主左手之大陰以陰太之白太陰手大

主之脉起於中焦下絡大腸還循胃口
上鬲屬肺從肺系橫出腋下循臑内
行少陰心主之前下肘中循臂内上骨
下廉入寸口上魚循魚際出大指之端
其支者從腕後直出次指内廉出其端
其脉從手至胷中三尺五寸管穴
中府　天府　俠白　尺澤　孔㝡

府　天府　侠白　尺澤　孔最

列缺　經渠　太淵　魚際　少商

一名…藏也　募皆在於胸　募應也…也　五藏六府經　絡之氣於胸　應於此矣

中府者　府聚也脾肺二氣　於此穴故曰中府肺募也　募　猶

盛也肺之盛氣　近出此穴也　一名膺中輸　膺胷也輸　婁輸也胷

氣歸此故　謂之輸　在雲門下一寸乳上三肋間

動脈應手陷者中　此下挙屬曰陷有淨　云實侠与瞳子相當

手足太陰之會刺入三分留五呼灸五

壯　會謂合同此二脈氣合下上於別知　歃者三脈也平太也狄力壯大因以

名壯…主司也此穴…療此

□瘧者三脈也并太也决力壯人因以
名壯 主司也山六下寒此
之 主肺系急欬 寺？主司餘皆放此系 若餘文放此
欬也謂肺藏之所欬也欬逆氣也五藏
六府皆有欬欬欬有十一而肺為其本
是以肺者合於皮毛故邪氣至皮毛先
受寒飲先入於胃肺脈循胃寒氣發肺
脈上注於肺即為內攴毛受邪即為
外邪內外之邪客於肺中即為肺欬〻
〻日久即傳与大腸若邪乘春肝先受
之若乘夏心先受之若乘至陰脾先受
之若乘於冬腎先受之故五藏六府之
欬皆以肺為本五藏六府欬狀如大素
說之 胷中痛惡清胷中滿色〻熱〻 上烏故反 上戚反 色〻惡寒狀有
本附……九欬有五欬食欬血欬

之……寒狀有

本作邑邑 善歎食 凡歎有五歎食歎血歎胃沫歎膽歎乾歎卷之也

中熱喘逆〻氣相追逐多濁唾不得息

喘息疾也喘喘者多因五藏六府受賊風重即致身熱不時臥上為喘呼也

肩背風汗出面 邪氣逆者則有背風汗出面也 腹腫鬲

中不下食 夫氣傷則痛也形傷則腫也寒痛而後腫者氣傷形也先

腫而後痛者形傷氣也故風勝則腫也鬲在胃管鬲塞故飲食不下之 喉

痺 咽者通飲食也喉者通氣路也蒼頡喉咽也与此不同又一陰一陽結謂

也 候……氣息謂息

[illegible]喉咽也。与此不同。又一陰一陽結謂

之喉中之也

肩息肺脹皮膚骨痛 肩息謂息而喘動也

脇集動則脹也

寒熱 風成者為寒熱，陰病則熱，陽病則寒，熏寒則熱，重熱

則寒謂之寒熱。候者骨小皮膚薄而肉无䐃其臂懦然，其地色殆然不與

天同色，汙然獨異，此其候也。然後臂薄者其髓不滿，故善病寒熱多。以三陽為

病發寒熱汗為麻痺疼痿厥也

煩滿 凡言寒少而陽氣膹腠理閉而不汗

出故熱而煩滿

天府 肺為上蓋為府藏之長，肺氣歸於此穴，故謂之天府

在腋下三寸臂臑内廉動脈手太陰脈

[illegible]膊在肩下肘上動之[illegible]

不相一三……動脉……太陰……

氣所發臑在腋下肘上動之脉，手太陰脉所動也禁不可灸

使人逆氣此穴之脉，近臑，更无餘脉背會，背兪，此逆善也刺

入四分，留三呼刺箴也，謂以針刺之以知反，箴音針之主

欬，上氣不得息，暴痺痺，風蕨痺，腹中㿃，設痺即㿃，黄病者也，音丁軨反也

內逆，肝肺相搏，鼻口出血肝肺雖外肺上，肺下，肺，金，尅肝之木，木，氣盛不受欬逆而相搏，所以脉血急无所行，歸鼻口出血也。血，若穀入於胃，其汁液注之於脉中，變爲赤色，謂之血也此胃

俞輸者委輸，送致也手太陰脉，逆中

注之於脈中變爲赤色謂之血也

大輸 輸者委輸送致也手太陰脈送身胃大氣致於此矣故曰太輸也

脹逆息不得臥 邪氣留於腹中蓄積不行死臨不得常所使之支胸中滿故喘呼逆息足陽明者胃脈胃脈也胃者六府之海其氣下行令陽明逆不得從其道故不得臥之

風汗出身膛喘喝多嗌 因於暑汗瀆則喘喝之陰争於内陽擾於外魄汗未藏四逆而起起則動肺使人喘喝胃中銷穀穀銷即上下作腹胃氣郄故後之則氣逆故多嗌也

悗

煩善忘嗜臥不覺 血并於下氣并於上故乱而喜忘夫衛氣晝行於陽夜行於陰故陽氣盡則臥

[illegible]目[illegible]故乱而喜忘夫衛氣
者晝行於陽夜行於陰故陽氣盡則卧
陰氣盡則寤人有腸胃大者衛氣行留
經久皮膚濇分肉難解故行遲留於
陰也又其氣不精故嗜卧不覺之也
侠白 白肺色也此穴在臂侠肺兩箱故名侠白 在天府下去
肘五寸動脉手太陰別 動脉謂手太陰脉動此穴也別
者有正別之別即經別也有別
奏者即十五胳也諸脉類此也 刺入四
分灸五壯主心痛欬乾歎煩滿入於
尺澤 水出井泉流注行已便入於海十
二經脉出四支已流而行至此
入五藏海澤謂[illegible]澤水所聚處也尺謂從

尺注二經脉盡四支已流注而行至此入五藏海澤謂澤水所經處也尺謂從此向統有尺也一名之中脉經此處留動而下與水義同故名尺澤手三陰脉氣至此肘中作澤一名作海精皆以水名脉也流行至此肘中留動處之也為合水也十二經水之脈從外而來內合藏府之海故為合之也在肘中約上動脈有者云在肘屈大横紋中也刺入三分留三呼灸三壯

主心膨痛肘痛喉痺欬逆上氣舌乾王壽行文脅痛心煩滿肩背寒膨滿脹貟也心乱少氣

九太壯納穀氣出三入

有病八大淵者其脹皃也八舌少氣

不足以息凡人食穀入胃納穀氣出三入一故半日不食氣海減故遂

少氣不足以息同少陽所以發終病少氣之也膓脹喘夫脹者氣在藏

藏之外胷脅腹郭之中非藏府脹胷脅及腹故得名脹亦有脾肺等脹者即得

脾肺等自䐜脹者也振慄瘛瘲手不伸瘛急牽充也瘲緩

不收子用矣脫肉噎渴脫肉痩之也鍼氣隔善飲

鼓頷不得汗煩急身痛氣隔謂呼吸之時胷中氣障塞

也目瞑瞯衄血左窠刺右右窠刺左

此并血爲衄者肝者肺氣不宣胃

曰：咳絡血，太□夫太□夫太

此肺合血，爲脈之府。肺者肺氣，不實，胃氣不清，精氣不爲使，真藏壞決，脈傍絶，五藏滿洩，不衄洩，則數室塞之也。

兩脅下痛，洩上下出 上下者謂吐且痛也。

胷滿短氣不得汗 熱氣蒸，少液也。補

手太陰以出其汗 肺以主氣，今太陰者肺脈也，今肺虛，故補手太陰則氣足，汗出也。

癲疾手臂不得上頭 癲者顛也，顛者頂也，謂彼陽氣蓄集頭頂，下陰皆亂，下虛上實，即陽相逆，逆爲顛疾，故曰癲疾，疾則不成，癲爲疾也。秦承祖：此穴下有交脈尺二穴，不同也。

孔者，空也。手太陰脈，諸脈中勝

此穴下，有交脈，尺二穴不同也。

孔最　孔者，空穴也。手太陰脈，諸脈中勝之。此之生於此，居此脈之間，故曰孔最也。

手太陰郄，在腕上七寸。郄者，郄曲也。謂太陰之脈至此曲折也，掌後之郄也。

專金，金九，水之父母。西方金位，數當於九，故曰專金；金九，金生水，故曰父母也。有本爲二七也。

刺入三分，灸五壯，可以出汗，頭痛，振寒，臂厥，熱汗不出。風從外入，寒氣客於皮膚，陰氣盛，陽氣虚，熱除寒，厥逆氣之也。

列缺　列，行列也。此列之絡，分行於太陰經所

也

列缺 列行也此列走絡分行本經所以稱缺之列之缺經之上故曰列缺之也 手太陰絡去腕上一寸半別走陽明者 謂此藏經別出此脈絡皮膚之向腑經即十五絡十之數也餘五藏腑皆絡此之也 剌入三分留三呼灸五壯主瘧寒甚熱 瘧有三種寒瘧一溫瘧二癉瘧三先寒而後熱者寒瘧先熱而後寒者溫瘧直熱不寒者癉瘧也三種以時發者瘧也不以時發者寒熱也寒甚熱者夏着回太暑汗出腠理開熱腠洩小寒於[illegible]皮膚之中藏之不出至秋又傷於風其病則盛寒為陰

藝腠淪小寒入於腠理皮膚之中歲之
不出至秋又傷於風其病則盛寒為陰
氣風為陽氣既先傷寒故病瘧發先寒
後熱熱論瘧多是小兒癲病
有十二狀也**癇驚**之也限間多**而有**
見者并取陽明絡寒熱欬唾沫掌中熱
二陰急為癇厥二陽急為驚又三陽者
至陽也三陽積并為驚病起不時亦如
暴風又如
霹靂之也**虛則肘臂肩背寒慄少氣不**
足以息夫虛實者邪氣盛則實精氣奪
則虛今虛者謂手太陰脈虛也
似之有手足九竅五藏十六部
三百六十五節皆生百病之生皆
有虛實故十二經脈皆絡三百六十五

三百六十五節皆生百病，病之生皆有虛實，數十二經脈皆胳三百六十五節，節之有病必被經絡，經絡之病皆有虛實也。肩髃上者之也。

寒厥交兩手而發爲口沫，實則肩背熱痛，汗出，暴四支腫，身濕搖，時寒熱，飢則煩，飽則面變，口嘿不闕。

逆冷致來之以堅嫌今多也已厥。有二種，有寒厥，有熱厥，熱事也，温皓潤。也葉口惑也。琴甚交之也。

惡風汗出。

風之救目，傷氣。其守於精，是則大寒，滿目，欲見風汗出，其寒。天之疾，風即後有病也之。

善悲，四支

天之疾風即發病也之[illegible]口

逆厥善咲。心高謂心脈盛而善怒又上氣不足者有餘膽胃實而

心脈虛則營衛留於[illegible]久而不已然得時止故善忌氣虛則多悲實則多咲

也 熱病先手臂痛身熱瘈瘲唇口[illegible]

身張目下汗出如轉珠兩乳下三寸堅

脅下滿悸 夫熱病者冬傷於寒[illegible]極為熱致者為熱病是以傷寒者

熱病之類也傷寒後發病初也熱病

言其病成形也傷寒溫病夏至前發也

傷寒暑病夏至後發也夫風寒暑濕四

種耶氣傷於人者皆因腠理亂開耶氣

得入在冬日之時腠理皆閉緻有寒

種邪氣傷於人者皆因腠理亂開邪氣
得入人在冬日之時腠理皆閉縱有寒
氣所傷人但入冬日若遇大寒少溫
室享穢重衣煖食官之出腠理開泄
復敢於深大寒之氣入於腠理脩諸經
脈客於藏府至春寒極發為熱病皆因
冬日多受於寒而得此病故曰傷寒也
傷寒熱病若有死者皆六七日若有瘳者
皆十日已上所以熱者傷寒病發一日
太陽受之二日陽明受之三日少陽受
之四日太陰受之五日少陰受之六日
厥陰受之如此一日受病至第七日即
太陽病衰八日陽明九日少陽十日大
陰十一日少陰十二日厥陰病衰熱則
三陽三陰次第受病衰已則愈矣若經
一日陰陽二經俱感於病至第三日即

三陽三陰次第受病衰已則愈矣若第
一日陰陽二經俱感於病至第三日即
六經又五藏六府皆病營衛不行五藏
不通然當死矣不兩感者未滿三日可
汗而已以其可泄而已又云熱已禁於
食肉分以多食傷寒熱病其以論者如
大素經說溺白者熱以消膏故溲膏而
白也手陽明是肺府之脈入下焦中上
循熱孔故熱而口氣鼻孔張也搏心動
參季
反

行於經渠

水出流注入渠徐行血氣從
井出已流注至此徐引而行

經謂十二經脈也然謂渠渠謂十二為
經脈血氣流於此穴故曰經渠也
經常也水大流注不絕為常血

經脉血氣流於此穴故曰經渠也

經金也 經常也水大流注不絶爲常血氣流注以徐行不絶爲常之也

在寸口陷者中刺入三分留三呼不可灸傷人神明 口通氣處也從開至英一寸五藏六府之氣皆此中通故曰寸口手太陰脉等五藏五神之氣大會此穴則神明在於此穴之中灸又灸金故灸之者傷神明也

主寒熱胷背急痛喉中鳴欬上氣喘掌中熱數欠汗出胷中彭彭甚則交兩手務暴痺内逆先取天府

天府胃府大腧貫爲

盖甚則交兩手而瞀暴痹內逆氣取天府

（此二字一本无）此府此胃之大輸天府胃為大輸胃為水穀之海穀氣所資

故暴痹者先取天府後取經渠也暴疾也矣臂內廉痛喘逆

心痛欬歆注於大淵水之所趨於下谷注十二經脈流奧

際已注於此處故為注也少商初出為井寸謂小泉魚際傳此中渟注故曰

大泉為輸土也水流便疾遂致聚處十二經脈流魚際已注於之也

此處故為輸之也在手掌後陷者中刺入二分

留二呼灸三壯主痹逆氣寒厥急煩

心諸痹瘈瘲在骨肘痛在脈血咳在

留之四分三水主疼□□寒厚氣數大

心諸痺。多。癮。瘁。在骨則重。在脉。血。涘。在

筋動不伍伸。衣。由不知。春。攻。即。寒。真。

此。五者。痺而不痛。凡。痺之類。逢寒。即。急。

逢濕則縱。總而言之。謂風。寒。濕。三氣。雜

至合爲痺。風氣。勝者爲行痺。寒氣

勝者爲痛痺。濕氣。勝者名爲著痺。又

病。在陽者命曰風病。在陰者命曰痺。

陰陽俱病命曰風痺。此痺之大論也

噦（於月反）

噫噦。噫（於界反）噦 氣牾也。然則（如花賢反）反。穀。入於胃

噫（於介反）氣上注於肺。令有故寒氣與新

穀氣。俱還入於胃。新故相亂。真邪相攻

并相逆復出於胃。故爲噦。噫。饑出息也

今寒氣客於胃。厥逆從下上

散復出於胃。故爲噫之也

脅滿。噦。唏

散復出於胃故為噫之也

胃氣上痺逆氣心痛脹滿彭彭脅厥肩

膺胸痛婦乳目中白眼青不令嬰兒飲婦人因婦病乳故曰婦乳也轉筋即手太陰筋也筋肉之力也掌中熱食

寒食熱缺盆中相引痛數欠喘不得息

臂內廉痛上鬲飲食煩滿病溫身熱五

日以上汗不出留鍼一時取之未滿五

日不可刺溫病秋溫三日可汗而已三日已去可減而已此中可既

未滿五日不可刺也

曰者可矣日已去可減而已此中可既
氣滿五白不可刺也有此不同宜量取也瘧欬逆攘心悶不
得卧胸滿喘務背痛衄血振寒乾噦飯
言口噼引而下之瘧害也惡也謂此病之惡能害於人故曰
瘧也攘餔心令悶不得卧也攘踤攘之也流於魚際水出井流而動
也脈出指流而上行大指本節後象彼魚形故以魚名之赤白肉際故曰魚際
也爲滎火也水溢爲滎謂十二經脈從指始已流溢此處故名爲
滎迎寘反又爲向反在手大指本節後內側散脈
手之四指皆有三節大指唯有二節

又為向反在手大指本節後內側背肉

手之四指皆有三節大指唯有二節大指第二節即為本節之也刺入

二分留三呼灸三壯主瘧熱洒淅起毛

惡風瘧而熱故惡寒而毛起也舌上黃身熱爭則喘

欬痹走胷膺背不得息頭痛不堪汗出

而寒有本作汗不出之也及陽明出血寒厥及熱

煩心少氣不足以息汗出而熱者陽勝則熱而汗不出陰

勝則寒而汗出陰濕腹痛食饐音噎肘攣榰滿喉

肺心有邪其氣留於兩肘々者

施　徙

而汗出陰[illegible]脹病食飲嗌用[illegible]而吐

中熱渴。膈心有耶，其氣留於兩肘，肘者樓關之室，真氣之所過，血胳之所遊，耶氣惡血固不得留，留則傷筋絡骨節機關，不得屈伸，故病攣也。

上氣。瘧直　巨井反

熱病振慄鼓頷，腹滿陰痿。痿者，不收也。人思想無窮，所願不得，意淫於外，入房大甚，宗筋施縱，發為筋痿，及為白淫。宗筋即陰。

厥痛，卧若徒居，心痛間動作，

痛益色不變，肺心痛。徒，獨也。人此處卧，謂之地處，故如徒居也。凡心痛，四藏及胃厥氣，皆令心痛。心中有神，不得受耶，若心自痛，名真心痛，故旦發夕死。

[illegible]此勝[illegible]

心中有神不得受邪若心自痛名真心痛故旦發夕死夕發旦死也欬引尻溺出虛也此勝脉欬

膈中食飲欬身熱汗出數唾羡下人飲食入胃々中若熱則々々動々則胃緩々々則廉泉開々々則涎下肩背

寒熱脘色白涕出皆虛也補之唾血時

熱寫魚際補尺澤瞋氣心痛悲怒逆氣

恐狂易狂易者時歌時哭脫衣而走々陵々易不定故曰狂易胃逆

霍乱逆氣霍急疾也營衛二氣清濁相干以怒然亂於腸胃則為霍亂

之…手太陰脉帰於肺之主於

霍亂。逆氣初忽，經亂於腸胃，則為霍亂。

之也
肺出少商
手太陰脉歸於肺，〻〻主於秋，脉之所起，謂之少商。

也
為井木也
太古人未有井時，泉源出〻水之處，則稱為井。井出水
之處也。五藏六府十二經脉以上下行，
出於四末，故第一穴所出之處譬之為
井。五藏之脉，是陰，生於陽地，終於陰地。
故井出為木，榮流為火，輸注為土，經行
為金，合入為水。六府是陽，生於陰地，終
於陽地，故井出為金，榮流為水，輸注為
木，所過為原。〻者，三焦揔有六府陽氣
也。經行為火，合入為土也。五藏之井皆
出於木，〻，少陽，相主至水為合也。足厥
陰者，玉英之陰，在於中膻，起手泰陰也。

陰脊玉英之陰，在於中膲，起手太陰也。
在手大指端内側，去爪甲角如韮葉。
有四角，此取内側上爪也。韮葉有大小，
取非大非小，間二分許，以量度之。
人若大小，以意量。刺入一分，留一呼，灸一壯，主
瘧寒厥及熱煩心善噦心滿而汗出，刺
出血立已。寒濯濯寒熱，手臂不仁，唾沫。
濯，洗也。言寒如水洗之甚，故重言之。仁，
親也。病不覺之處，不與身親，故曰不仁。
又數驚恐，筋脉不通，衰生不仁。又疾
久入深，營衛之行澁，經絡時疏，不痛，皮
膚不營，故為不仁。[illegible]

久入深營衛之行澁經絡時疏不通皮
膚不營故爲不仁脣乾引飲手撓攣指
有本爲手攣也
支肺脹上氣指瀓難屈耳中生風覺耳
神日支也中淸
風氣欬喘逆指痺臂痛歐吐飲食不下
也
彭瘈病象痓拒讝欬頷腹脹俾倪喉
中喉瘈病像痓瘲有寒有熱唯不以
時作也俾倪側視皃上迟來反
下五渧反喉下墼
反謂咽中氣塞也

黄帝内経明堂巻第一

永仁四年正月廿二日書寫畢

同廿三日移點畢

同年二月二日移朱點畢

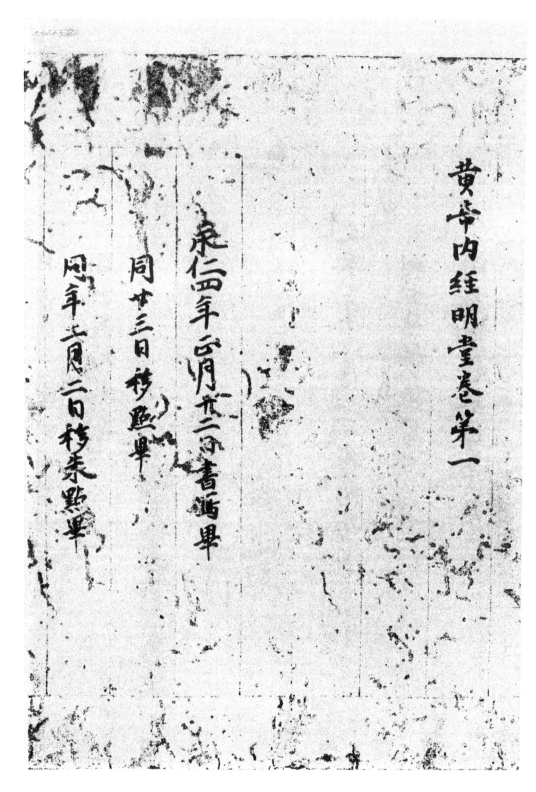

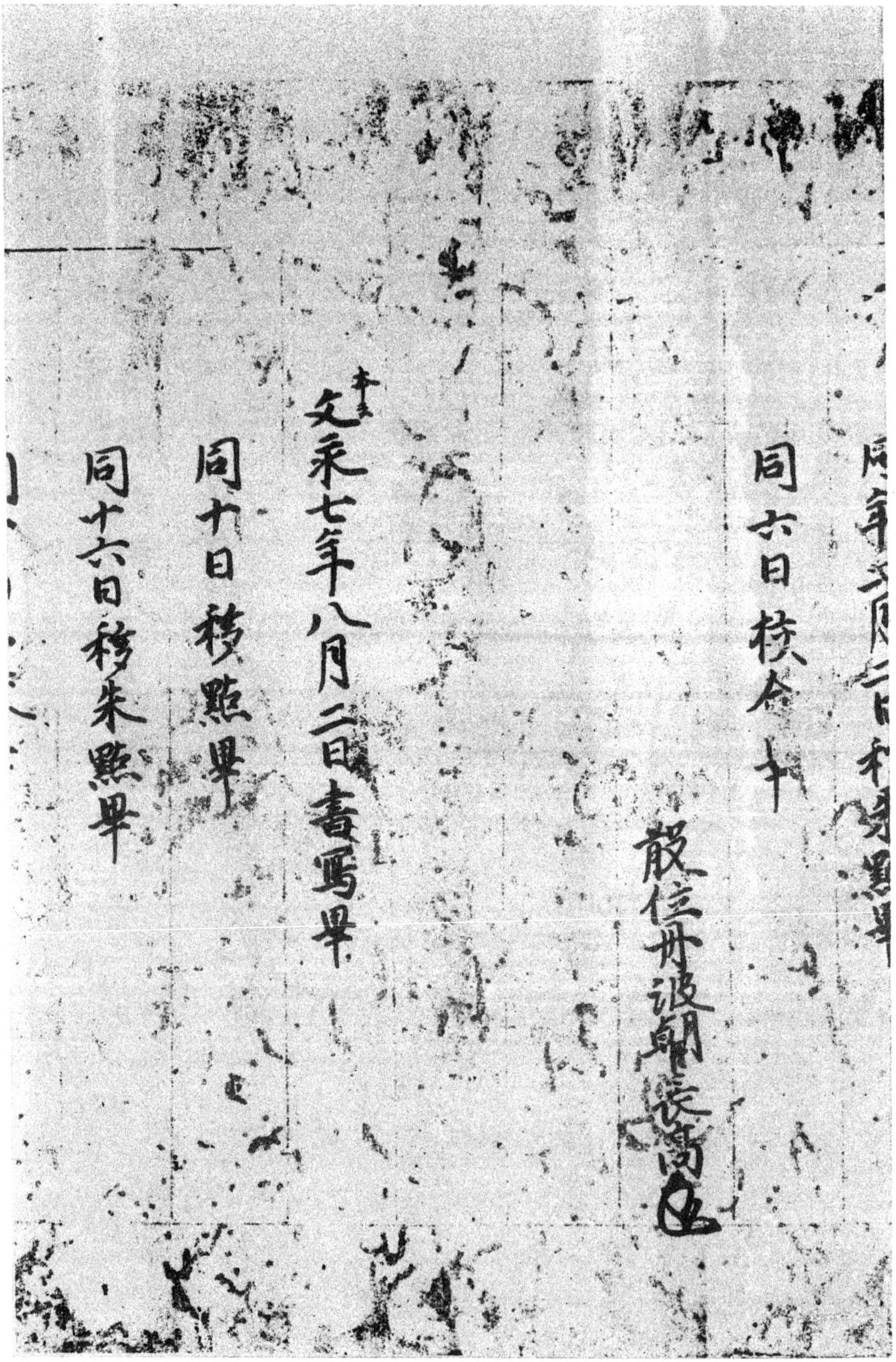
同年文應二日朱點畢

同六日校合了

散位丹波朝臣長高

文永七年八月二日書寫畢

同十日移點畢

同十六日移朱點畢

同十七日移點畢

同廿日一校畢

散位丹波朝臣篤基 判

本云

寛元元年六月廿三日以相傳本書寫畢

元泰之

主税頭兼権侍醫丹波朝臣 判

受庭訓了

受庭訓了

篤基（判）

永仁第六年仲夏十五日以江

讀之繼説授嫡男長高

首尾不[illegible]點句了[illegible]

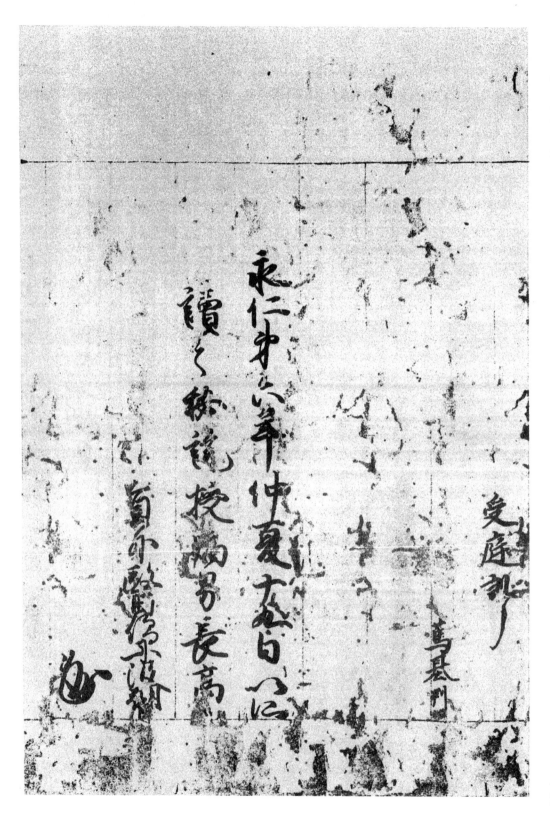

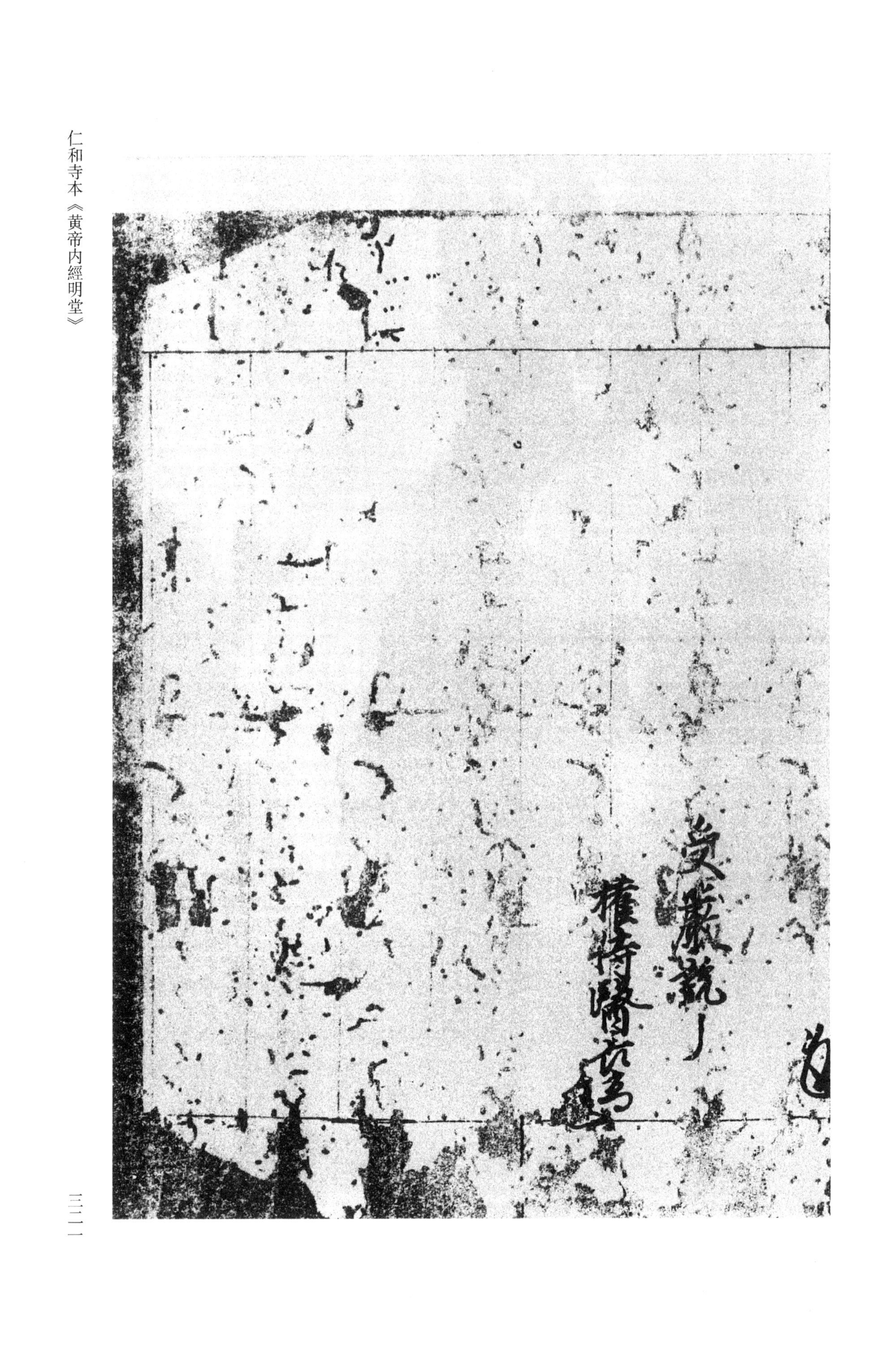

受業親了

權侍醫[illegible]

黄帝内經明堂卷第一

水九派洩其

化通乾坤之氣象人之秀異得自中

雖四體百節必有攸繫而五藏六府咸

存厥司在於十二經脉身之綱領是猶

玉繩分晷而寒暑不僭金樞揔運而晦

明是隔至於神化所財陶鈞之妙揔衆

[illegible]田而運之旨意言命則被而寓之旨

[illegible]

乃細而運之者廣言命則微而播之者

大血氣焉其宗本經胳導其源流呼吸

運其陰陽營衛通其表裏始終相襲上

下分馳亦有絡谷榮輸井原經合虛實

相傾躁靜交競而晝夜不息循環無窮

聖人参天地之功測形神之理貫穿秘

[illegible]

聖人參天地之功演兩和三[illegible]

奧，弥長事業，秋毫不遺，一言罕謬，教興

絕代，仁被群有。舊製此經，分為三卷，詳

候交雜，窺察難明，支體奇經，復與八脈。

亦如沮漳沅澧，派波於江漢；豊滈滻潏，

分態於河宗。是以十二經脈各為一卷，

奇經八脈復為一卷，合為十三卷焉歟。

奇經八脈復為一卷令其
使九野遍分望循門而入鄲五音踔越
變混吹而歸齊且也是古非今或成畢
氣殊流合濟無乖勝範伏稟皇明以宣
後學有巢在昔而大壯成其棟宇網罟
猶秘以明離照其佃漁今乃成之聖曰
取諸不遠然而軒丘一脈訪抑亦多門大
矣陳其宗旨明堂之義以見是猶

[illegible]

素陳其宗冒明堂表其形貝是循天一

地三亦漸遍其物焉

黄帝内經明堂卷第一

通直郎守太子文學臣楊上善奉勅撰注

肺藏肺重三斤三兩六葉兩耳凡八葉

主藏魄肺有小大高下堅脆端正偏傾

[illegible]

主藏明肺有小大高下堅脆端正偏傾

不同肺小則少飲不病喘喝肺大則善

病胷痺喉痺逆氣肺高則上氣肩息欬

欬肺下則居賁迫肝善脅下痛肺堅則

不病欬上氣肺脆則善病消癉易傷也

肺端正則和利難傷也肺偏傾則胸偏

痛白色小理者肺小粗理者肺大巨肩

反膺陷喉者肺高合腋張脇者肺下

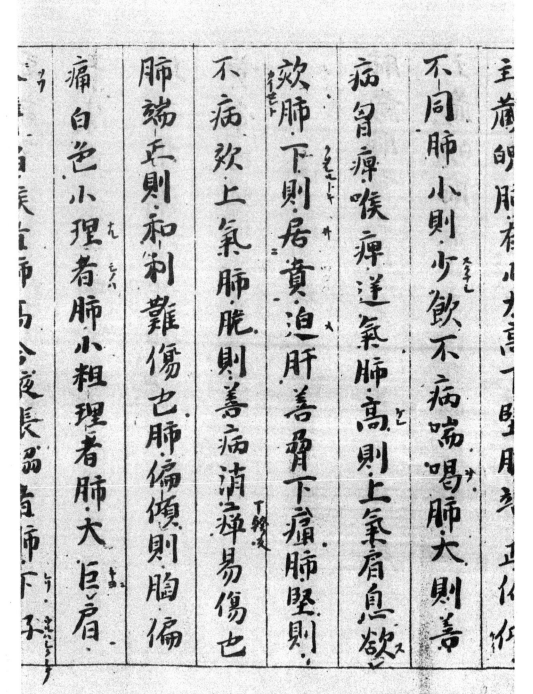

畜 本草第五 揚音許救反 宜後之陰漆 言幼韻公且

瘠白色小理者肺小粗理者肺大巨肩

反膺陷喉者肺高合腋張脇者肺下好

肩背厚者肺堅肩背薄者肺脆好肩膺

者肺端正脅偏疏者肺偏傾也其行金

其色白其時秋其味辛其日庚辛其志

憂其氣夫其音商其聲哭其榮毛其主

皮毛其液涕其竅鼻其畜[許救反]馬其穀稻其

楊音許救反宜從之陰陽字韵音丑救反六畜也牛馬羊雞犬豕也又許救反畜養也又許錄反有又丑六反積聚也

皮毛其液涕其竅鼻其畜[illegible]其[illegible]和其
星大白其數九其變動欬其惡寒其魁
肝其生腎其臭腥其菓桃其菜葱其脉
毛其經脉手太陰辛主右手之太陰壬
主左手〻之大陰以陰太故曰太陰手大
陰誤
主之脉起於中焦下絡大腸還循胃口
上膈屬肺從肺系橫出腋下〻循臑內臑又音儒
奴到反肩下肘上謂之
行少陰心主之前下肘中循臂內上骨

募

上鬲屬肺從肺系橫出腋下

行少陰心主之前下肘中循臂內上骨

下廉入寸口上魚循魚際出大指之端

其支者從腕後直出次指內廉出其端

其脉從手至胷中三尺五寸管穴十

中府　天府　俠白　尺澤　孔穴數

列缺　經渠　太淵　魚際　少商

中府　府聚也脾肺二氣聚肺然之募

募 音慕五藏之募皆在於腹募府也猶聚也五藏六府經絡之氣皆猶聚於此矣

列缺 經渠 太淵 魚際 少商

中府者 府聚也脾肺二氣聚於此穴故曰中府 肺募也 音暮府也猶聚也 募猶

盛也肺之盛氣 一名膺中輸 膺會也輸近此穴也 膺輸也會

氣歸此故謂之輸 在雲門下一寸乳上三肋間

動脉應手陷者中 陷道奧反深也猶坎也 此下窐處曰陷有本氏廣侠与軆子相當

手足太陰之會刺入三分留五呼灸五

壯 會謂合同此二脉氣合同此穴則知動者工脉也壯大也火力壯大因以

名壯 主肺…次 主司也此穴下病此

壯動者，工脉也。壯，太也，大力。壯，大，因以
名壯。主肺系急欬。主，司也。此穴下病，此
之穴。卒司，餘皆放此。系，加古諸反，絡也。
繫也。謂肺藏之所繫也。欬，逆氣也。五藏
六府皆有欬，故欬有十一。兩肺為其本，
是以肺者合於皮毛，故邪氣至，皮毛先
受。寒飲先入於胃，肺脉脩胃，寒氣尋肺
脉上注於肺，即為內邪；皮毛受邪，即為
外邪。內外之邪容於肺中，即為肺欬。
久久，日久即傳與大腸。若邪乘春，肝先受
之；若乘夏，心先受之；若乘至陰，脾先受
之；若乘於冬，腎先受之。故五藏六府之
欬，皆以肺為其本。五藏六府欬狀，如大素
說 [illegible]

因

欬皆以肺爲其本五藏六府欬狀如大素

說之胷中痛惡清胷中滿邑邑然邑邑惡寒狀有

本作邑邑善飲食凡飲有五飲食飲血飲沫飲膽飲乾飲菴之也胷

中熱喘逆逆氣相追逐多濁唾不得息

喘息疾也喘呼者多因五藏六府受賊風虚耶故身熱不時臥上爲喘呼也

肩背風汗出面肺氣盛者則肩背風汗出面也腹腫甫

中不下食夫氣傷則痛也形傷則腫也先痛而後腫者氣傷形也先

腫而後痛者形傷氣也故風勝則腫矣

蒼頡公治
故又蒼頡
黄帝聖人
之子造書
者也

炲煤也ミミ
灰集屋也

中不下食 先痛而後腫者氣傷形也先
腫而後痛者形傷氣也故風勝則腫
也耶在胃管膈塞故飲食不下之 喉
痺 咽者通飲食也喉者通氣路也蒼頡
喉咽也与此不同又一陰一陽結謂
之喉痺 肩息肺脹皮膚骨痛 肩息謂息
之也 而肩動也
肺氣動 寒熱 風成者爲寒熱陰病則熱
則脹也 陽病則寒重寒則熱重熱
則寒謂之寒熱ミミ候者骨不皮膚薄
而肉无䐃其臂耎然其地色炲然不與
天同色汗然獨異此其候也然後臂薄
者其髓不滿故善病寒熱多以三陽爲
病蕨寒熱下爲夏菑 凡陰氣少而陽氣

者其髓不滿故善病寒熱多以三陽爲
病發寒熱下爲凡陰氣少而陽氣
癰腫及痿厥也煩滿腠腠理開而不汗
出故熱天府肺爲上蓋爲府藏之天肺
而煩滿氣歸於此穴故謂之天府
在掖下三寸臂臑内廉動脉手太陰脉
氣所發臑在肩下肘上動之脉手太陰脉所動也禁不可灸
使人逆氣此穴之脉近肺更无餘脉共會灸之損肺故逆氣也刺
入四分留三呼刺鍼也謂以針刺之此知反鍼音針之至
胛風發癉腹中熱

漆

入四分，留三呼，此知反，𥫱音針之 至

欬，上氣不得息，暴痺，脬，風蔽，痺，腹中埶。

故痺，即契，黄病，著

也，音（古鼎反）丁

鈐反也

內逆，肝肺相搏（亦博），鼻口出血

肝肺

雖別

膈上，膈下，肺，金，肚，肝之木，二氣盛不受。

故逆而相搏，所以脈血息无所行，即鼻

口出血也。血者，穀入於胃，其津液

注之於脈中，變爲赤色，謂之血也。此胃

大輸 輸者，委輸，送致也，手太陰脈，送身

胃大氣致於此穴，故曰太輸也

脹，逆息不得臥。衛氣留於腹中，蓄積不

行，宛蘊不得常所，使人

支胷中滿，故喘呼，逆息，足陽明者胃脈

腸逆息不得臥。行究蘊不得常所使人
支胸中滿故喘呼逆息足陽明者胃脈
也胃者六府之海其氣下行今陽明逆
不得從其道
故不得臥之
風汗出身腫喘喝多寒
因於暑汗煩則喘喝天陰爭於內陽擾
於外魄汗未藏四逆而起起則動肺使
人喘喝胃中銷穀穀銷即上下作脹
悗
胃充郭郭故緩緩則氣逆故多寒也
惚善忘嗜臥不覺
血并於下氣并於上
故亂而喜忘夫衛氣
者晝行於陽夜行於陰故陽氣盡則臥
陰氣盡則寤人有腸胃大者衛氣行留
經久皮膚濇分肉難解故行遲留於

陂

陰氣盡則寤人有腸胃大者衛氣行留
經久皮膚濇分肉難解故行遲留於
陰也又其氣不精故嗜臥不覺之也

俠白

白肺色也此穴在臂在天府下去
使肺兩箱故為俠白
肘五寸動脈手太陰別動脈謂手太陰
脈動此穴也別
者有正別之別即經別也有別剌入四
走者即十五胳也諸脈類此也
分灸五壯主心痛欬乾歐煩滿入於

尺澤

水出井泉流注行已便入於海十
二經脈出四支已流注而行至此
入五藏海澤謂陂澤水鍾處也尺謂從

陂

尺澤 二經脈出四支已流注而行至此
入五藏海。澤謂陂澤。水鍾處也。尺謂從
此向抗有尺也。一尺之中。脈從此處留
動而下。與水義同。故名尺澤。手三陰脈
亦至此肘中。作澤。一名作海。藉皆以水
名脈也。流行至此 十二經水
肘中。留動處之也 爲合水也 之脈從外
而來內。合藏府之 在肘中約上動脈有
海。故爲合之也 卒
云。在肘屈大 刺入三分留三呼灸三壯
横文中也
主心膨膨痛。肘痛。喉痹。欬逆。上氣。舌乾
[illegible]心煩滿[illegible]寒 膨膨滿 [illegible]

䐜 凡人切 起也 引起也

主心脇痛肩痛咽痛□□□上氣喜噫
脅痛心煩滿肩背寒 膨膨滿脹貌也 心亂少氣
不足以息 凡人呼吸吐納穀氣出三入一故半日不食氣海減故遂
少氣不足以息曰一陽 所藏發終病少陰氣之也 膓脹喘 夫脹者 氣在府
藏之外胸脅腹郭之中排藏府脹胸脅
及腹故得稱脹亦有脾肺等脹者即得
脾肺等自 䐜脹者也 振慄瘛瘲手不伸 瘛急牽也 瘲及瘲緩
用反 不收于 亦徒活反 䐃肉噬濁 䐃肉之節 痩之也 氣陽善欬
亦胡滅反下頷也
□□□□□□□痛 氣陽謂呼吸之

切壽皆反沛也 更本家本无

韋

用反　脉內[illegible]　瘦之也　氣所善[illegible]

鼓頷不得汗煩急身痛　六胡憾反下頷也　氣陽謂呼吸之　時胷中氣障塞

也　目鳴縱目瞼衄左竄刺右右竄刺左　乘縱　居儼反　王知栗反

此鼻出血爲衄凡傷肺者肺氣不守胃

氣不清精氣不爲使真藏壞決脉傍絕

五藏滿洩不衄　則欲窒塞之也　兩脅下痛洩上下出洩上

下出者謂　吐且病也　胷滿短氣不得汗埶氣蒸補　汗液也

手太陰以出其汗　肺以主氣手大陰者　肺脉也今肺虚故補

手太陰則氣[illegible]　[illegible]癲者

手太陰此出其汗肺脉也。令肺虚，故補手太陰，則氣足汗出也。癲疾，手臂不得上頭。癲者顛也。顛者頂也，謂彼陽氣盡集頭頂，下陰皆虚，下虚上實，邪陽相搏，遂為顛作，故曰癲疾。是則厥成癲為疾也。秦丞祖此穴下有交脉尺二穴，不同也。

孔最

孔者空穴也。手太陰脉諸脉中勝之，此之空穴居此脉之郄，故曰孔最之也。

手太陰郄，在捥上七寸。

郄者郄曲也，謂太陰之脉至此曲折也。捥，掌後之節也。

專金金九九，水之父母，西方金位，數當於九，故曰專金金九九金引

掌後之節也　其金[illegible]方

金位數當於九故曰專金九金刺入

生水故曰文母也有本爲二七也

三分灸五壯可以出汗頭痛振寒瘧欬　臂

熱汗不出　風從外入寒氣客於皮膚陰氣盛陽氣虛故振寒欬逆氣

之也

列缺　列行熱也此別走胳分別太經脈

以稱缺之列之缺經之上故曰列

缺之手太陰胳去腕上一寸半別走陽

也

[illegible]謂於藏經別出此脈橫絡皮膚走

也

明者 謂於藏經別出此脈横絡皮膚走向府經即十五胳一之數也餘五藏胳皆准此之也 刺入三分留三呼灸五壯主

瘧寒甚熱 瘧有三種寒瘧一溫瘧二瘅瘧三先寒而後熱者寒瘧先熱而後寒者溫瘧但熱不寒者瘅瘧也三種以時發者瘧也不以時發者寒熱也寒甚熱者夏者日大暑汗出腠理開發淒滄小寒入於腠理皮膚之中藏之不出至秋又傷於風其病則盛寒為陰氣風為陽氣既先傷寒故病瘧發先寒後熱總謂瘧間夜篤多是小兒癲病而有

痌

氣風爲陽氣既先傷寒故病瘧發先寒後熱惣譫瘧有十二狀也癎驚多是小兒癲病而有之也限間反見者并取陽明胳寒熱欬唾沫掌中熱二陰急爲癎厥二陽急爲驚又三陽者至陽也三陽積并爲驚病起之時亦如暴風又如辟礰之也虛則肘臂肩背寒慄少氣不足以息夫虛實者邪氣盛則實精氣奪則虛今虛者謂手太陰脈虛也但人有手足九竅五藏等一十六部并三百六十五節皆生百〻病〻之生皆有虛實故十二經脈皆胳三百六十五

三百六十五節皆生百〻病〻之生皆
有虛實故十二經脉皆胳三百六十五
節〻之有〻病必被經〻脉〻之〻病皆有
虛實也肩髆寒厥交而手而發爲口沫
上者之也
實則肩背熱痛汗出暴四支腫身濕搖
時寒熱飢則煩飽則面變白喋不開而手
逆冷故交之以望發此爲臂厥也凡厥
有二種有寒厥有熱厥發事也濕治潤
也禁四怨也惡風泣出風之中目陽氣
琴甚及之也不守於精是則
火氣脩目故見風泣出共有

溺 奴弔反

急

琴甚及之也思慮[illegible]不守於精是則
火氣備目故見風注出此有
善忘四支
天之疾風即使有雨也之
逆厥善咲
心高滿於肺中悗而善忘又上
氣不足下氣有餘腸胃實而心
肺虛虛則營衛留於下久而不已不得時
上故善忘氣虛則多悲實則多咲之也
六乃今支
熱病先手臂痛身熱溺白瘛脣口聚
鼻張目下汗出如轉珠兩乳下三寸堅
脅下滿悸
夫熱病者冬傷於寒寒極為
熱故春為熱病是以傷寒者
熱病之類也傷寒懷其得病韵也熱病

[illegible]反 會也鍛也
居也植也
六也

脅下滿悒熱故春爲熱病是以傷寒者
熱病之類也傷寒懷其得病初也熱病
言其病成段也傷寒溫病夏至前發也
傷寒暑病夏至後發也夫風寒暑濕四
種邪氣傷於人者皆自腠理孔開邪氣
得入人在冬日之時腠理皆開縱有寒
氣何所傷人但人冬日若遇大寒必溫
室厚褥重衣熱食因之汗出腠理開發
複取於淳大寒之氣入於腠理循諸經
脉客於藏府至春寒極發爲熱病皆自
冬日多受於寒而得此病故曰傷寒凡
傷寒熱病若有死者皆六七日若有愈
者皆十日已上所以然者傷寒病發一日
太陽受之二日陽明受之三日少陽受

者皆十日已上所以然者傷寒病發一日太陽受之二日陽明受之三日少陽受之四日太陰受之五日少陰受之六日厥陰受之如此一日受病至第七日即太陽病衰八日陽明九日少陽十日大陰十一日少陰十二日厥陰病衰然則三陽三陰次第受病衰已則愈矣若第一日陰陽二經但感於病至第三日即六經及五藏六府俱病營衛不行五藏不通必當死矣不兩感者未滿三日可汗而已三日以去可泄而已其病愈已禁於食肉及以多食傷寒熱病具以論者如大素經說溺白者熱以鬱畜故洩畜而白也予陽明是肺府之脈入下焦

溲

者如大素經說消白者樊以籥膏故溲
膏而白也于陽明是肺府之脉入下齒
中上䐗鼻孔故樊而口聚鼻孔張也㨜

心動葵
季反

行於經渠水出流注入渠徐行血氣從
井出已流注至經此徐引而行
經謂十二經脉也渠謂溝渠謂十二
經脉血氣流於此沉故曰經渠也為
經金也經常也水大流流注不絕為常血
氣流注此徐行不絕為常之也

太〻ヶ鐱反鋿反

在寸口陷者中刺入三分留三呼不可
〻陽之中月口通氣處也從開口至奧

在寸口陷者中刺入三分留三呼不可
灸傷人神明口通氣處也從關至魚一寸五藏六府之氣皆此
中過故曰寸口手大陰脉等五藏五神之氣大會此穴則神明在於此穴之中
大又灶金故灸之者傷神明也主寒熱胸急痛喉中
鳴欬上氣喘掌中熱數欠汗出胸中彭
彭甚則交兩手瞀暴痺内逆先取天府
此府此胃之大輸天府胃府大輸胃爲水穀之海穀氣强盛
此二字一本無
故暴痺者先取天府後[illegible]

山府山胃之大輸水穀之海穀氣强盛
故暴痺者先取天府後取經渠也暴疾也矣臂內廉痛喘逆
心痛欬歎注於大淵水之流趍於下為注十二經脈流奧
際已注於此處故為注也少滴初出為井可謂小泉魚際停瀅此中濃注故曰
大泉之也為輸土也水流便有逆致聚處十二經脈流魚際已逕於
此處故為輸之也在手掌後際者中刺入二分
留二呼灸三壯主痺逆氣寒厥急熱煩
心諸痺多痛痺在骨則重在脈血泆在

伸

噦 於月反

留二吋癸三水至寂[illegible]氣實肩[illegible]生[illegible]大

心諸痺多痛痺在骨則重在脉血凝在

筋動不屈伸在肉不知在皮即寒具

此五者痺而不痛凡痺之類逢寒即急

逢濕則縱惣而言之謂風寒濕三氣雜

至合而為痺風氣勝者以為行痺寒氣

勝者以為痛痺濕氣勝者名為着痺又

病在陽者命曰風病在陰者命曰痺

陰陽俱病命曰風痺此痺之大論也 善

噫噦噫 噦氣噫也 絕月反 穀入於胃

氣上注於肺今有故寒氣與新

穀氣俱還入於胃新故相亂真邪相攻

并相逆復出於胃故為噦噫飽出息也

今寒氣客於胃厥逆從下上冒[illegible][illegible]乎

攻

并相逆復出於胃故爲噦噫飽出息也
令寒氣客於胃厥逆從下上散復出於胃故爲噫之也 胷滿歎呼
胃氣上逆氣心痛脹滿彭彭 臂厥肩
膺胸痛妬乳目中白眼青 不令嬰兒飲婦人因妬病
乳故曰妬乳也 轉筋 即手太陰筋轉也筋肉之力也 掌中熱作
寒寒作熱缺盆中相引痛數欠喘不得息
臂内廉痛上氣飲已煩滿病温身熱五

臂内廉痛上氣飢已尤清病溏身黄五
日以上汗不出留鍼一時取之未滿五
日不可刺温病未滿三日可汗而已三日已去可鍼而已此中所説未滿五日不可刺也有此不同宜量取也瘧欬逆填心悶不
得卧胷滿喘欬背痛嗌血振寒乾嗌狂
言口辟引而下之瘧害也惡也謂此病之惡能害於人故曰瘧也填觸心冷悶不得卧也填除推之也流於魚際水出井流而動也脉出指流而上行大指本節後象彼

得卧也撫除推之也言[illegible]流而動也脉出指流而上行大指本節後象彼魚腹故以魚名之赤白肉畔故曰魚際也爲滎大也（音立頴反）水溢爲滎謂十二經脉從指出已流溢此處故名爲滎迴寘反又爲向反在手大指本節後內側散脉手之四指皆有三節大指唯有二節大指第二節即爲本節之也刺入二分留三呼灸三壯主虛熱洒淅起毛（音先礼反　音蘇狄反）惡風（音烏故反）虛而熱故寒寒而毛起也舌上黃身熱欬則喘

[illegible]不得息頭痛不甚汗出

惡風寒而毛起也衣上黄身熱筆見咳

欬痺支胷應背不得息頭痛不堪汗出

而寒有本作汗不出之也及陽明出血寒厥及熱

煩心少氣不足以息汗出而寒者陽勝則熱而汗不出陰

勝則寒而汗出陰濕腹痛食饐音噎烏結反食窒塞也肘攣播滿喉

中焦渴肺心有邪其氣留於兩肘肘者樓閣之室真氣之所過血胳之所遊邪氣惡血固不得留留則傷筋胳骨節機關不得屈伸故肘病攣也痙

乳痓強直患而振慄鼓頷腹滿食

胳骨節機關不得屈伸故肘病攣也

上氣（痓強直 巨井反）欬病振慄鼓頷腹滿陰痿（痿屈不收也人思想无窮所願不得意淫於外入房太甚宗筋弛縱發為筋痿為白淫宗筋即陰）厥痛卧若徒居心痛間動作痛益甚色不變肺心痛（徒移也人此處卧謂為他處故如徒居也凡心痛四藏及胃厥氣皆令心痛心中有神不得受邪若心自痛名為真心痛故旦發夕死夕發旦死也）欬引尻溺出虚也（此膀胱欬）

[illegible][illegible]食欬欬身熱汗出故嗌[illegible]下人飲

涎

夕蔹旦死也　刻引屃陷出虛也　胱欬

髙中食飲欲身熱汗出数噫羨下　人飲　亣飲延反　廿ソ　食入

胃々中々若熱則出々動々則胃緩　肩背

々々則廩泉開々々々則涎下

寒熱胱色旨泣出皆虛也補之噫血時　亣從浴反

熱瀉奥際補尺澤揼氣心痺悲怒逆氣

恐狂易　亣血偽反　狂易着時歌時哭胱衣馳　六久反　胃逆　走々改ー易不ソ定故曰狂易

霍乱逆氣　霍急疾也營衛二氣清濁相ー　干ソ忽然乱於腸胃則爲霍乱

之脈　亣尺亦反　于太陰脉歸於肺々主於

過

霍亂之氣，于忽然亂於腸胃，則為霍亂

之手太陰脉，歸於肺，〻主於

也。肺出少商。秋脉之所起，故謂之少商〻

也，為井木也。太古人家未有井時，泉源

出水之處，則稱為井。井者出

水之處也。五藏六府十二經脉以上下行，

出於四末，故第一穴所出之處，譬之為

井。五藏之脉，是陰生於陽地，終於陰地，

故井出為木，榮流為火，輸注為土，經行

為金，合入為水。六府為陽，生於陰地，終

於陽地，故井出為金，榮流為水，輸注為

木，所過為原〻者，三焦揔有六府陽氣

也，經行為火，合入為土也。五藏之井皆

出於木，〻少陽相生，至水為合也。足厥

葉

也。经行爲火合入爲土也。五藏之井皆

出於木。〻少陽相主至水爲合也。足厥

陰者玉英（英）之陰在於中瞧起手太陰也

在手大指端内側去爪（方側後文）甲角如（而川二）韭（方九）葉 爪甲

有四角此取内側上角也。韭葉有大小。

必取非大非小。間（上竹）二分許以量中〻度之

人若大小（卜了） 剌入一分留一呼灸一壯主

以意量

痹寒厥及熱煩心善噦。心滿而汗出。剌（音夏月反）

出血立已寒〻濯〻寒熱手臂不仁唾沫（方次上也 念也 方濇）

濯洗也。言寒〻如水洗之甚。故重言之。仁

踈

出血，並已寒，清□寒熱□府不仁□□
濯洗也。言寒如冰洗之甚，故重言之。体
親也。病不覺之處，不與身親，故曰不仁。
人。數驚恐，筋脉不通，病生不仁。又人病
久入深，營衛之行濇，經絡時踈，不痛疾
膚不營，故為不仁。脣乾引飲，手撓掌指
有本為手掌也
支。肺脹上氣，指強難屈伸，曰支也。耳中生風，覺耳中滴瘖
風氣
也。欬喘逆，指痺臂欬，吐，飲食不下
彭彭熱病象瘧，掁慄鼓頷，腹脹，俾倪，喉
熱病像瘧，謂有寒有熱，瘧不以
口艮

數〻熱病熱痛於熱令肘肘何何口

中喉〻熱病像瘦謂有寒有熱雅不以

喉〻時作也俾俔側視皃上返來反。

下五梯反。喉下䶩切泉很反 丘根很反

反謂咽中氣塞也

黄帝内経明堂卷第一

本云
永仁四年正月十二日　書寫畢
同廿三日　移點畢
同年二月二日　移朱點畢
同　六日　校合畢
[illegible]　判

同六日校合畢

散位丹波朝臣長高 判

本云
文永七年八月二日 書寫畢

同十日 移點畢

同十六日 移朱點畢

同廿日 一校畢

[illegible] 判

散位丹波朝臣篤基 判

本云 寛元々年六月廿二日以相傳本書寫畢

本云 建曆三年季春晦日以相傳本於燭下書之

同年四月四日 酉時於此對 朱點畢

同年四月四日 [illegible] 朱點畢

同八日申尅 墨點并一交了

建曆第三年蕤賓廿六日授息男二君

頼季了判

受庭訓了 頼季

寛元二年正月廿五日授息男光基已訖

散位丹波朝臣 判

受訓説了

権侍醫丹波朝臣光基

權侍醫丹波朝臣兼基

文永七年八月廿五日以訓説授息男篤基了

主税頭兼權侍醫丹波朝臣 判

受庭訓了

篤基 判

直書

永仁第六年仲夏十九日以家讀了

秘說授嫡男　長高了

員外醫師丹波朝臣　判

受嚴說了

判

受嚴訓了

權侍醫 長高 判

于時 永德三年 十月八日 書寫畢

同十五日移點畢

同廿二日 移朱點畢

同晦日一校了

同時同一校

于時永德三年十月八日書寫畢

東方生風　受嚴說畢

于時永德三年十月八日書寫畢權侍醫　少陽之

風發生

草木

風生木　少陽之風發生草木　木生酸　夫二儀既判則

少陽之風

少陽生風也

夫二儀既判則五六

斯從神居東方在春

黃帝曰東方生風

應永第十暦十月八日受嚴

酸

應永第十暦十月八日受嚴說

應永第十曆十月八日受嚴

應永第十曆十月八日受嚴訖